JN039082

日本の新戦略

反転攻勢のグランド・ストラテジー

衆議院議員
国際政治学博士
山口 壯

徳間書店

まえがき――日本は反転攻勢の国家戦略を必要としている

戦後日本は「吉田路線」という国家戦略に沿って、復興・発展を遂げてきました。戦争直後の名宰相吉田茂は、アメリカに安全保障を託し、日本は経済に集中するという国家戦略を選択し、それは大成功だったと言えます。この「吉田路線」はあまりに大成功過ぎて、吉田以降、政治家は大戦略を語る必要がなくなっていたという見方もあります。

しかし、今世紀に入る前後から、世界は混沌の度合いを増し、中国が台頭する反面、アメリカは9・11事件以降、国力の相対的低下に悩んでいるように見えます。その間、日本経済の伸びは鈍化し、失われた20年とか30年とかの表現がなされます。今の日本の若者たちは、「いい景気」を経験したことがないとさえ言われます。日本全体に漂う閉塞感、そして日本は大丈夫か？　との不安感を一掃したいと思います。

日本の戦後の国家戦略として大成功だった吉田路線ですが、それは「パックス・アメリカーナ」（アメリカによる平和）の下でこそ可能であり、パックス・アメリカーナの揺らぎが言われる現在、そして「日本の没落」という言葉が真実味を帯びてきた今、日本としては、「吉田路線」を超える新たな国家戦略が求められています。現在のカオス（混沌）にどう向き合うのか、その中で日本はどのように繁栄と平和をつくっていくのかについての大戦略（グランド・ストラテジー）を構想せねばなりません。

しばしば、「決められる政治」が求められ、民主主義が手間のかかるシステムであることについての批判もありますが、いわゆる中国やロシアのような権威主義は、トップダウンで決断が迅速である反面、それをチェックする仕組みが欠けているという大きな欠点が有るのではないでしょうか。今回のロシアのプーチンによるウクライナ侵攻はそのことを如実に示しているように思います。要は、決められるかどうか云々ではなく、問われているのは構想力です。

民主主義でもう一つ気を付けなければならないことは、ポピュリズムへの誘惑の落とし穴が潜んでいることです。戦前のドイツにおいて国民の熱狂的な支持を得てトップに昇りつめ、第二次世界大戦を引き起こしたとも言えるヒトラーの例に見るように、ポピュリズムには今もこのような危険が潜んでいないかについて注意が必要です。

これらの点を踏まえつつ、政治が「日本の没落」を食い止め、反転攻勢をかけるための国家戦略を打ち出し実行に移すことが急務であり、本書はそのような観点から取り組んだものです。

よく保守かリベラルかという分け方が言われますが、そのような保守かリベラルかのレッテル貼りにあまり意味はないように感じます。私の考え方を敢えて言うとすれば、「リアリズム」です。直面する課題を現実的に一つひとつ解決しようとする考え方です。

以下に、今後の大戦略について読者の皆さんと一緒に考察させて頂きたいと思います。

第1部では、これまでの財政、金融政策が必ずしも効果を出せてない中、反転攻勢の経済戦略として、イノベーション投資の加速及び海外資本の受け入れの拡大について述べます。

そして第2部では、戦後日本の国家戦略である吉田路線について振り返りながら、それを超える反転攻勢の世界戦略として、諸国を「つなぐ」経済連携を進めること及び国連の安保理が機能できるようにする憲章改正等、自ら平和をつくる「ピースメーカー」路線について述べます。

※本書では一部敬称を略しました

目次

第1部

反転攻勢の経済戦略

～イノベーションが市場資本主義を支え、民主主義を強化する～

日本の没落を防ぎ、反転攻勢をかけるという観点から、イノベーション投資をもっと促進するとともに、海外からの資本を積極的に受け入れる経済戦略が必要と考えます。

戦争直後の日本は、冷戦という状況下、アメリカに守られる中で、経済復興に集中でき、目覚ましい発展を遂げることができました。パックス・アメリカーナの中で、日本は「吉田路線」という明確な国家戦略を有していました。

当時はアメリカも寛容だったと思います。しかし、日本が目覚ましい経済発展を遂げ、「ジャパン・アズ・ナンバーワン」と言われるようになり、アメリカにとって「挑戦者」とさえ映るようになって、日本に対して厳しく当たり始めました。そのような文脈の中で、アメリカ側から「日米構造協議」が提案され、日本に構造的な要求を求めてきたわけです。日本経済のバブルがはじけ、調子が悪くなり始めたのもこの頃からでした。

それ以降、日本は財政支出、金融緩和を続けますが、必ずしも成果が上がらず、失われた20年とか30年とか言われています。近年、予算規模は100兆円を超え、金利はゼロ以下のマイナスにまで下げましたが、経済的な効果については、ピンと来ないという感じを多くの人が有しておられるのではないでしょうか。反転攻勢になっていません。そのためには、イノベーション投資の促進、海外からの資本の受け入れをドラマチックに促進する経済戦略を提起したいと思います。

国家戦略としてのイノベーション

日本の没落を防ぎ、反転攻勢をかけるとの発想に加えて、世界が流動化しカオスの状態にある中で、新たな事態に対処し得る国力をつけるとの観点も重要です。その一つがイノベーション投資であり、もう一つが海外からの資本の受け入れです。国家戦略としてイノベーション投資をドラマチックに促進することが肝心です。

日本の国力で重要なのは経済力です。しかし、悲しいかな日本のＧＤＰは１９９５年に５兆ドルの水準に到達して以降、あまり増えていません。アメリカのＧＤＰは１９９５年の８兆ドルから２０１８年には20兆ドルに達し、約２・５倍に増加しています。中国は２００１年に２兆ドル、２０１０年には日本を抜いて６・５兆ドル、そして２０１８年には13兆ドルになっています。日本のＧＤＰは、今や中国の半分以下になっています。

日本は、このような経済力の低下により、国力も相対的に低下し、日本のポジションは世界的に後退してきました。

日本のような国がこれまで存在感を高めてこられたのは、経済力ゆえであり、その意味でも今後、国力を強化するためには、経済を成長させねばなりません。そのための鍵はイノベーションであるというのが、私の確信です。国力の強化のために、イノベーション戦略を進め、経済を真に強くし、賃金上昇、中間層の復活、消費増大という、繁栄の良循環のスパイラルをつくっていくことが必要です。

ちなみに、GDPとイノベーション予算との間には高い相関関係があるように見えます。2020年の日本のイノベーション予算は5・2兆円です。これに対して、中国は2000年代に大きく増加し、2008年には28兆円となり、世界トップ規模となりました。米国は2019年に15・3兆円です。米中と比較して、日本のイノベーション予算は大きく差をつけられており、特に中国との差が顕著です。中国は権威主義国家として明確な「国家戦略」を立てて、世界のリーダーを目指し、イノベーション戦略を進めています。日本も国家戦略としてイノベーション予算を大幅に増やすことが必要です。

世界の資本主義経済のこれまでを振り返ると、イノベーションにより生まれる「新しい主導産業」によって発展してきたという側面があります。自動車産業、航空機産業、ＩＴ産業などがイノベーションによって生まれ、資本主義経済を主導してきたと言えます。

しかし、日本産業はこの30年、デフレの影響もあったのか、リスクを冒して新技術を開発する気力がなくなってしまっているという面があるのではないでしょうか。大型の先端技術の開発は「不確実性」が高く、民間ではなかなかできません。膨大な投資が必要で、リスクも高いからです。したがって、日本はイノベーションを国家戦略として位置づけ、それに取り組むという意識を持つことが必要だと思います。

イノベーション投資により、所得が上昇し、中間層が育ち、消費が拡大することにより、資本主義経済が強靱に発展し、それが更にイノベーション投資を呼び、また所得の上昇、中間層の育成、消費の拡大に結びつくという良循環こそが、資本主義経済が発展する理想的なメカニズムです。イノベーションは資本主義経済の心臓です。その良循環をイノベーション戦略によって実現するという国家戦略が重要です。

イノベーションは民主主義にも連動

イノベーションは、資本主義の心臓であると同時に、民主主義の強靭化にも貢献します。イノベーションは、中間層を育てることにより、民主主義を強固にします。イノベーション投資が不十分であると、所得の下落を通じて格差が生じ、中間層が貧困化することで、民主主義の弱体化を招くのです。

日本は、１９９０年以降、アメリカの新自由主義・グローバル化の流れに乗ってしまい、安ければいいということで、人件費等のコストを下げるために世界の安い労働力を求めて工場を日本国内から海外に移していきました。その間、国内において生産性向上や技術開発のためのイノベーション投資をせず、競争力が落ちていきました。イノベーション投資なしに、安かろう、よかろうでは、競争力が落ち、「商品の価格が下がる」とともに「企業の売上・利益が下がる」。そうすると「社員の給料・賃金が下がる」。つまり、イノベーションが停滞すると、競争力が落ち、賃金を低下させ、中間層が貧困化し、格差が拡大する。そしてそれは民主主義の弱体化につながるのです。

このような現象が世界の各国で起きており、民主主義のリーダーとも言われるアメリカにおいても例外ではなく、むしろ顕著に現れています。中国は賃金が安いということで、アメリカの多くの企業が工場を中国に移しました。それにより、アメリカの工業力が弱くなってしまったと同時に、特に中産階級の人たちには低賃金の仕事しかなくなってしまいました。中産階級が弱くなることにより、民主主義が弱体化し、アメリカの政治が分断されるに至っています。

スウェーデンの「V－Dem研究所」の調査によると、2019年に民主主義の国・地域は世界に87あるのに対し、非民主主義は92あり、非民主主義が数的に民主主義を上回っています。現在、世界が民主主義対権威主義の闘争の文脈の中にあるとすれば、我々民主主義の国々が勢いを得るためには、イノベーションを国家戦略上の優先事項と位置づけ、十分に再分配機能が有るイノベーション投資を奨励する環境つくりをせねばなりません。それにより経済の実体が強化され、ひいては民主主義の強化につながります。

日本も安い労働力を求めて工場を日本国内から海外に移していったわけですが、この流れを是正し、日本国内におけるイノベーション投資を強化することにより、経済を強くし、民主主義も強化することが重要です。

これからの経済政策の柱としてのイノベーション投資

今後の経済政策は、イノベーションを促進することに重点を置くべきです。経済政策の重要な目的は、国民を豊かにすることです。イノベーション投資が促進されることにより内需が拡大され、賃金も上がって、国民の所得は上がります。

なお、所得が上がれば、結婚や出産も増えるため、人口は増加することが期待され、少子化問題はかなり改善されるのではないでしょうか。

グローバル化の行き過ぎにより、世界の安い労働力を求めて海外に工場を出してきたことが、イノベーションの停滞、競争力の低下、賃金の低下、ひいては中間層の貧困化、所得格差、果ては民主主義の衰退を懸念させる状況を引き起こしていることを述べましたが、かと言って、保護主義が解決策ではありません。真の解決は、イノベーション投資により国内産業を再生し、新産業を開発することで内需の拡大を図り、働く仲間の所得（賃金）を上げ、中間層を厚くし、所得格差をなくすことです。それが民主主義の強化にもつながります。

国民に職場を創造するイノベーション投資を

コンピュータ技術を基に新しい商品を開発したインテル、モトローラ、ゼロックス、アップル、デル、ヒューレットパッカード、クアルコム、それからグーグル、アマゾン、フェイスブックなどの新しい産業は、これまでの産業のようには労働者の職場を創造しなくなったことに注意せねばなりません。また、デジタル化、ＡＩ化は、既存の産業からもどんどん人間の職場を消し始めています。その意味で、シリコンバレーとは違ったイノベーションへの取り組み、即ち、国民に職場を創造するようなイノベーション投資を奨励せねばならないと思います。イノベーション投資により、新しい産業を開発し、多くの「よい職場」を創造することが重要です。そして、働き甲斐のある「よい職場」をたくさんつくることが、本来の「働き方改革」であるべきです。

「国家戦略省」の下に「イノベーション庁」と「国立科学技術研究所」の設置

日本が今後、世界秩序の構築にまで積極的に関わろうとすれば、相応の国力が必要であり、国力を強化し、総合的な国策を練り、実行に移す司令塔の存在が強く求められます。そしてイノベーションはその中枢の一つを担うことになるでしょう。

そのような文脈で、国家戦略としてイノベーションを進めていくために、国の組織的仕組みも「省」レベルで整えるべく、新たに「国家戦略省」を置き、そこで広く国家戦略を立案することとし、更に、その下に「イノベーション庁」をつくり、日本産業全体のイノベーション促進のための企画を立案し遂行する仕組みにしてはどうでしょうか。更に、「国立科学技術研究所」を設置し、国が十分な資金を投入し先端技術を開発することも併せ提案したいと思います。

かつて世界のトップであった日本の半導体産業、家電産業は既に過去の栄光となり、日本が強いとされたロボット産業も影が薄くなってきています。これからの日本の発展をドライブする新しい産業を開発しなければならず、ＡＩ、ＩｏＴ、センサー、ナノマテリアルなどで、日本産業をイノベーションで刷新し蘇らせる必要があります。

また、日本は、これまでに存在しなかった新しいコンセプトの商品システムを開発することには弱く、世界経済をドライブする「主導産業」を世界に先駆けて開発したことはないと言われがちですが、だからこそ「国家戦略省」と「イノベーション庁」の下、「国立科学技術研究所」を設置し、世界をイノベーションで変えてやるというくらいの動きをかけるべきです。

「イノベーション国債」という山口構想

私は、イノベーション戦略を進めるための資金的な裏付けとして、国債の新たな仕組みとして「イノベーション国債」をつくる構想を抱いています。これにより、乗数効果の高い大型イノベーション投資が可能になります。２０２１年に環境大臣に就任し、「ブルームバーグ」の取材を受けた際、「イノベーション国債」２００兆円を提起しました。日本のイノベーションは、中小企業やベンチャー企業が頑張っていることが多いため、イノベーション・プロジェクトを進める中小企業に対して、２００兆円規模でサポートする新たな金融システムを構築してはどうかとの構想です。そして、中小企業やベンチャー企業が対象であるから、敢えて担保主義をとらない金融システムにしたいところです。この国債は将来への「投資」であるとともに将来に「富」を残すものであり、「負担」を残すものではないととらえています。

２０２１年から２０２２年8月まで環境大臣を務めた際、「脱炭素を制する者は、次の時代を制する。グリーンを制する者は、世界を制する」を合言葉に、「脱炭素ドミノ」を起こすことを念頭に種々の政策を進めました。そのうちの一つが、「脱炭素国債（ＧＸ経済移行債）」20兆円として結実しました。これがシードマネーとして何倍もの効果をもたらしてくれるよう願います。更には、それを活用した様々な優良プロジェクトが、５０００兆円とも言われる世界のＥＳＧマネー（環境・社会・企業統治に配慮した企業に行う投資）にアピールし、日本に引き寄せることにつながればいいなとも願います。「イノベーション国債」200兆円にまではたどり着けませんでしたが、脱炭素国債20兆円は十分大きなスタートだと思っています。しかし、反転攻勢の経済戦略としては、「イノベーション国債」200兆円を引き続き追求すべきと思っています。これは「借金」というより、未来に大きな利益を生む「投資」として理解されるべきです。

環境大臣を務めた後、2022年の10月から、「環境戦略研究会」という勉強会を自民党と公明党の全議員に声をかけて主宰しています。2023年6月には、電気自動車が走行しながら充電できるように道路の下にワイヤレスの給電設備を埋め込む新たなシステムがドイツ、スウェーデン、イスラエル等で始まっていることの紹介も有り、日本でも大いに参考にできると思います。この行き着くところは、いずれ自動車は全て電気自動車になり、ガソリンは使わなくなるかもしれないということです。

あるところでは、水から水素を高温の炎で割と簡単に取り出すことに成功しています。これを船に応用すると、海水から水素を取り出しエンジンを動かせるわけですから、重油は要らなくなり得ます。

このようなことが積み重なっていくと、日本が毎年石油の購入のために20兆円以上も支払っているのが不要になるかもしれません。それを他の目的（教育なり新産業育成なり）に使うというビジョンは如何でしょうか？

現に、石油を売って国を支えてきている裕福なサウジアラビアですが、その「ビジョン2030」の中で、近いうちに石油は売れなくなるだろうと予測し、その代わりに、有り余るほどある太陽光でグリーンな水素をつくり、それをパイプラインでヨーロッパに輸出するというビジョンを立てています。

国立大学の独立行政法人化は廃止すべき

日本のイノベーション力を高めるための一環として、2003年に制定された「国立大学法人法」は、廃止すべきではないかと思います。小さな政府・民営化の流れの中で、国立大学を独立行政法人化してしまったこの法律は、我が国の科学技術開発力を劣化させており、廃止すべきです。

2003年に、国立大学法人法案が国会に提出された際、私は本会議における代表質問等を含めて強く反対の議論を展開しました。当時は、あらゆる分野での民営化が望ましいとされ、「国立大学を民営化することにより、研究が活性化する」という謳い文句でしたが、大きな疑問を感じたからです。

「高い山ほど裾野が広い」という表現があります。裾野が広くなければ山は高くなれません。「今すぐ儲かる」という研究に集中していくのではなく、儲かるか否かにかかわらず大学の研究の裾野を広くしておくことが極めて大事であり、産学連携政策を過信して大学の多様な機能を犠牲にすることは、日本の学問の裾野を狭めてしまい、将来の我が国の基礎力を浅く薄いものにしてしまいかねません。私はそのように強く訴えました。現在に至って、その考えはやはり正しかったとの思いを強くしています。

大学が自分で稼ぐべしということになったので、産学連携を重視し、すぐに儲かる研究や、外部資金を獲得しやすい重点課題研究に偏る傾向が強くなってしまいました。国立大学の独立行政法人化により、リスクのある研究はやりにくくなっており、大学が大きなイノベーションにつながるものに手を染めることができにくくなったとも言われます。そもそも大学には数値では評価できないような側面が多々ありますが、産学連携とか数値で評価できる研究だけに努力が向けられると、イノベーションは育ちにくくなります。

国立大学を独立行政法人化したことにより、将来、日本からノーベル賞受賞者が出なくなるのではないかと言われることもあります。これまでのところ、日本のノーベル賞受賞者は全て国立大学出身者であり、残念ながら、まだ我が国の私大出身者がノーベル賞をとるには至っていません。湯川秀樹さんは京都帝国大学、朝永振一郎さんも京都帝国大学、川端康成さんは東京帝国大学、江崎玲於奈さんは東京大学、佐藤栄作さんは東京帝国大学、福井謙一さんは京都帝国大学、利根川進さんは京都大学、大江健三郎さんは東京大学、白川英樹さんは東京工業大学、野依良治さんは京都大学、小柴昌俊さんは東京大学、田中耕一さんは東北大学、下村脩さんは長崎医科大学、益川敏英さんは名古屋大学、小林誠さんは名古屋大学、南部陽一郎さんは東京帝国大学、鈴木章さんは北海道大学、根岸英一さんは東京大学、山中伸弥さんは神戸大学、中村修二さんは徳島大学、天野浩さんは名古屋大学、赤崎勇さんは京都大学、大村智さんは山梨大学、梶田隆章さんは埼玉大学、大隅良典さんは東京大学、本庶佑さんは京都大学、吉野彰さんは京都大学です（唯一、カズオ・イシグロさんがケント大学であり、日本の国立大学ではありませんが、これはカウント外と言ってもいいでしょう)。

　このようにこれまでは何とかノーベル賞受賞者が出ていますが、国立大学が独立行政法人化されてしまったツケはいずれジワジワと現れるのではないかと心配します。

　現に、国立大学法人法が施行されてから20年近くが経過した今、日本の大学の研究力は国際的な比較でランキングを急激に落としてしまっています。一方、中国や韓国の大学が伸びてきています。

　1990～99年の10年間における大学別発表論文数では、世界ナンバーワンはハーバード大学、2位が東京大学、3位が京都大学で、12位に大阪大学、18位に東北大学が入っていました。ちなみに、ケンブリッジ大学は10位、ジョンズ・ホプキンス大学は14位、MITは17位でした。

　最近の2015～18年では(別のデータベースではあるのですが)、ハーバード大学の世界1位は変わらないが、なんと2位に中国の上海交通大学、3位に同じく中国の浙江大学が入りました。更に5位に中国の精華大学、8位に中国の北京大学、10位に韓国のソウル大学が入り、11位に中国の華中科技大学、12位に中国の四川大学、14位に中国の吉林大学、15位に中国の復旦大学、17位に中国の西安交通大学、18位に中国の中山大学、21位に中国の山東大学と来て、その後塵を拝する形で、東京大学が22位、京都大学が49位、東北大学が88位、大阪大学が90位となっています。

この推移は非常に悔しいと同時に、政治的な政策判断の誤りが国益をいかに大きく損ない得るかを感じざるを得ません。片や、中国の大学は国家主導のシステムのもとにあり、国際ランキングで目覚ましい勢いで伸びていることを目の当たりにすると、日本が何でも民営化の流れの中で、国立大学を独立行政法人化したことは、政策的に誤りであり、大学における教育研究活動の活性化に対する解答になり得ていないのみならず、日本の科学技術力を落としてしまった大きな要因と言えます。その意味で国立大学法人化法は悪法であり、イノベーション戦略上マイナスです。このような悪法は廃止し、国が主導する形の日本の研究力の再興を図る必要があると思います。

賃金引き上げ

これからの経済政策の大きな柱の一つとしてイノベーションを取り上げ、それが競争力を向上させ、賃金を上昇させ、そのことが中間層を厚くし、消費を拡大させてＧＤＰを押し上げることになるという、良循環スパイラルのメカニズムをつくることの重要性について述べました。ちなみに、賃金が上昇する時には、それを克服するために生産性向上への投資が起こり、ＧＤＰを押し上げるという側面も有ります。賃金の上昇は、ＧＤＰを押し上げます。その意味で、働く仲間の賃金を直接引き上げる視点も、今後の経済政策において重要です。「賃金の上昇」「生産性向上への投資（イノベーション投資）」「ＧＤＰの拡大」の三つは、ポジティブ・スパイラルの関係にあります。

１９５０年から１９９０年にかけての日本の奇跡的な大発展は、１９６０年代の池田勇人総理の「国民所得倍増計画」によるところが大きかったと言えます。それにより、一億総中流と呼ばれる状況が出現し、中間層が豊かになり、内需が拡大しました。その間、国主導の産業政策も功を奏し、生産性が向上し、福祉社会の構築にも寄与しました。今も、所得を増やすことが国の経済発展の肝だと言えます。

しかし、日本の場合、1990年頃から非正規雇用制度等が労働者の実質賃金のブレーキとなり、中間層の貧困化の一因ともなってきました。年収200万円以下の「ワーキングプア」は、国税庁のデータでは300万人を超えて、増加傾向にあります。また、若者の賃金が安いことも大きな問題です。昨今の日本の若者は「景気がいいという状態」を経験したことがないとさえ言われます。ある調査によると、独身の20歳代の61%、30歳代の40%の人が蓄えゼロであるといいます。これでは生活が苦しくなるのは当然でしょうし、結婚もしにくいでしょう。総じて若い人の消費性向は高いため、その雇用と賃金を増やす方策をとることが内需の拡大、経済の発展につながるはずです。

日本企業は、賃金を上げずブレーキをかけることにより利益を拡大しましたが、内部留保を450兆円以上も増やしただけで、その分をイノベーション投資には使わず、株価を上げるために自社株を買うか、株主に配当しているとも言えます。同様に、大企業への減税は利益を貯めるだけでイノベーション投資には回らず、内部留保になってしまっているという議論もなされています。

今後必要な経済政策としては、賃金を下げるような非正規雇用制度に頼り過ぎることは控え、生産性を上昇させるイノベーション投資を奨励し、生産性の上昇に合わせて賃金水準を上げることだと思います。企業としても、賃金を上げることにより、コストが上昇して商品が売れなくなることがないように、競争力強化のための生産性向上投資（イノベーション投資）をするという発想が必要です。

これまで産業界は、生産性を上げるイノベーション投資を国内でしないで、安い労働者を海外に求め、結果として日本の賃金水準を下げてしまってきた面があります。これでは世界の中で、日本産業はますます衰退することになります。むしろイノベーション投資により生産性を上げ、それに合わせて賃金を上げることで、人手不足は緩和されるでしょう。賃金を引き上げるのが正しい経済政策です。

中国はこれまで、安価な労働力を武器に、外国の技術と資本を入れて「世界の工場」として経済を拡大してきましたが、2000年頃から賃金が上昇し、「世界の工場」としての地位が下落し、その意味ではだんだん競争力がなくなってきています。しかし注目すべきは、中国は、この賃金上昇をカバーするため、生産性向上投資、すなわちイノベーション投資に力を入れていることです。これは理論的にも正しい方向であり、日本としては、この動きを侮ってはいけません。

賃金引き上げの観点、及びイノベーション投資の観点から、注目すべきは、近年、企業として、株主の目を気にし過ぎるＲＯＥ（自己資本利益率）経営、スプレッドシート経営を見直そうとの傾向が出てきていることです。これまで多くの株主は、新事業の開発等は投資リスクが有るとして好まず、そのため企業は長期的なイノベーション投資には手を出せなくなってきていたと言われます。しかしそれでは、企業のＲＯＥは良くても、企業力としては弱体化し、経済全体を衰退させてしまった面があるのではないかと思います。

海外からの資本の受け入れ拡大

全く異なる切り口として、今後日本の経済を飛躍的に発展させる処方箋として、外国からの直接投資を増やすことが重要だという見方があります。ＵＮＣＴＡＤ（国連貿易開発会議）の調査によれば、２０１９年、日本のＧＤＰに占める対内直接投資額（ストック）は４・４％で、世界１９６カ国中最下位の１９６位でした。ちなみに１９５位は北朝鮮だった由です。

しかし、明治時代の日本は、外国から多くを取り入れて飛躍的に発展しました。中国は鄧小平の時代に改革開放路線を採って、急速に発展し、２０１０年には日本をＧＤＰで追い越してしまいました。アメリカは今も多くの直接投資を受け入れて、ＧＤＰ世界一の座を保っています。また、韓国は、日本が対内直接投資の対ＧＤＰ比１・２％から４・４％に上昇した間に、２％から14％に上昇しており、一人当たりＧＤＰでは今や日本を追い越しています。

海外からの直接投資を日本が歓迎しないのは、外国の会社の支配に対する恐れが関係しているとも言われますが、日本が海外からの資本の受け入れを増やすことにより、経済は飛躍的に伸びるだろうというのは、右に紹介したとおり、他国の例により実証されているように思います。

世界に５０００兆円も存在すると言われているＥＳＧマネーを引き込むことを念頭に置

くことも戦略的に重要です。先に述べた「脱炭素国債」20兆円もその呼び水になるようにとの思いでつくらせて頂きました。昨年つくり、今年準備し、来年いよいよ動き出します。大いに期待しています。

海外からの直接投資を促進するために、ビザや法人登記等について現在の煩雑な手続きを簡素にすることが求められます。また、日本にアジア地域の拠点を設置する等の外国企業に対する税制優遇や補助金の拡大についても検討すべきです。

教育の重要性

イノベーション戦略を進めるためのみならず、海外からの日本の受け入れをドラマチックに促進するに際しては、そのような海外からの資本に対して堂々と渡り合える人材を育成していくことが重要です。その意味で、やはり国づくりの基本は人づくり、教育の重要性はいくら強調してもし過ぎることはありません。

日本の教育は、明治以来、西欧に追いつけということで知識の丸暗記が主体であり、自分の頭で「これは何だろうか、これは少し変だな」と考えることをさせなかったのではないでしょうか。しかしこれからの時代は、正解のない時代であり、自力で自分独自の答えをつくり出すような教育が重要だと思います。そのような教育がイノベーションを生み出す土壌をつくるでしょう。

また、海外からの資本に飲み込まれないような人材を育成する教育も重要です。それは英語とＩＴのことだけを言っているのではありません。これからの国際化時代に最も大事なのは、「人間力」です。もちろん英語も重要です。これまでは英語が少々できなくても、何とかなってきたかもしれません。しかしこれからの時代、仕事をするに際して英語の重要性が飛躍的に増すことは誰もが理解しておられると思います。ちなみに中国や韓国の子供たちは英語とＩＴを必死に勉強しています。将来、日本の子供たちが大人になって、中国や韓国の同世代の人たちと仕事をする際に、日本人の英語力が劣っているようでは、そこに上下関係が生まれかねません。私たちの世代は、今の若い世代に、他の国の人たちに劣ることのない基礎力は身に付くようにしておいてあげることが最小限の務めではないでしょうか。ＩＴも然りです。しかし、英語やＩＴにも増して、何よりも重要なのが人間力だと思っています。海外からの資本の受け入れに際して、英語やＩＴのみならず人間力が育成されるような教育を充実させることが極めて肝心だと思います。

教育は民主主義と密接に連関しているとの観点から、私の長年の構想である、望む人全てに行き渡る大学奨学金制度の実現も目指したいと願います。例えば、毎月10万円の奨学金なら、１年間で１２０万円、４年間で４８０万円。これを30年で返済するとすれば、毎月の返済額は１万３３３３円。これなら働きながら返済できるのではないでしょうか。

少子化問題の根本的解決にも貢献

このような反転攻勢の経済戦略を進めることにより、昨日より今日、今日より明日が良くなるという未来への希望と確信が生まれることにより、日本没落の懸念が払拭されることを願います。このことは、少子化問題の根本的な解決に貢献するのではないでしょうか。年収２００万円以下の若者が３００万人以上いると言われますが、それでは結婚や出産にブレーキがかかっても不思議ではないでしょう。反転攻勢の経済戦略により、そのような問題も解決していきたいわけですが、何よりも、30代以下の若者は「景気がいい」ということを経験したことがないと言われる中、多くの若者が未来への希望と確信を感じるようになることが、少子化問題の根本的な解決につながると思います。

それは、ひいては年金、医療、介護、子育てといった社会保障の制度を支える力にもなります。例えば、年金は賦課制度であり、高齢者世代の年金給付に必要な額を現役世代が納める方式なので、少子高齢化が進むと財政的に不安定になり、逆に少子化が根本的な解決に向かうと、それは年金制度の安定化につながると言えるからです。

第2部

反転攻勢の世界戦略

～「ピースメーカー」という王道～

第一部では日本を没落から反転攻勢させるための経済戦略について述べました。他方、それで十分というわけではもちろんなく、日本を取り巻く世界の環境が容易ではないことについて万人が感じておられるところでしょうし、外交・安全保障を含めて、反転攻勢の国家戦略とは何かについて考えを深めなければなりません。今の国際環境の中で日本は大丈夫なのか、これまでの国家戦略は過度に対米依存ではなかったのか、自ら世界秩序をつくる位の気概をもつべきではないのか等々です。

今日のガソリン値上げ、電気料金値上げ、小麦等の食料品値上げは、全てロシアがウクライナで戦争をしていることが原因です。これまでアメリカ頼みだった世界の平和の問題に日本も国家戦略をもって自ら平和をつくる発想で対処していかないと、身近な生活の問題に影響が有る事態になっています。小手先の「改革」では、平和はつくれません。私は、平和をつくる作業として、諸国を「つなぐ」経済連携を進めること、及び国連の安保理が機能できるようにする憲章改正に取り組んでいます。それらを含めて以下で、戦後日本の国家戦略である吉田路線の心を振り返りながら、現在の米中対立の中で、日本がどのような反転攻勢の国家戦略を採り得るかについて述べたいと思います。自ら平和をつくる「ピースメーカー」路線です。

戦後の世界は、アメリカのリーダーシップによる世界秩序づくりからスタートしました。この秩序は「パックス・アメリカーナ」と呼ばれることがあります。「パックス・アメリカーナ」（ラテン語：Pax Americana）とは、「アメリカによる平和」という意味であり、超大国アメリカ合衆国の覇権が形成する「平和」を表しており、元々、ローマ帝国の全盛期を指す「パックス・ロマーナ（ローマによる平和）」に由来します。強大な一国の覇権による平和を表現する言葉です。

第二次世界大戦後、アメリカは先ず、戦争が二度と起こらないようにとの諸国の想いをまとめる形で、国際連合の創設に中心的な役割を果たしました。そして経済面でも、貿易についてはGATT（「関税及び貿易に関する一般協定」）体制（現在はWTO「世界貿易機関」）を創設、通貨についてはIMF（国際通貨基金）と世界銀行を創設し、「ブレトン・ウッズ体制」を構築しました。即ち、世界通貨「バンコール」をつくるという経済学者・ケインズのイギリス案を退け、アメリカ案の米ドルを世界の基軸通貨とする制度をつくりました。これら全ての秩序が、アメリカのリーダーシップのもとにつくられていき、第二次世界大戦後、世界は、この「パックス・アメリカーナ」と形容される概ね平和な時代を謳歌してきました。

その間、米ソ冷戦と言われる、アメリカ等の西側資本主義諸国とソ連等の東側共産主義諸国との間で、体制間の闘争が長く続きましたが、この資本主義対共産主義の戦いは、1989年に資本主義側の勝利で終わりました。アメリカの政治学者フランシス・フクヤマは、それを「歴史の終わり」とまで表現しました。

しかしその後、旧共産主義諸国のうちソ連は、崩壊後ロシアとなり、資本主義を取り入れ、経済を回復・成長させました。中国も鄧小平の改革開放により資本主義を取り入れ、今や世界第2位の経済大国となりました。その間、アメリカはアフガニスタン戦争、イラク戦争を経て国力を消耗し、「パックス・アメリカーナ」の揺らぎまで言われるようになり、現在、世界は新たな秩序を模索している状況です。

日本は戦後、「パックス・アメリカーナ」の中で、アメリカと組むことを選択し、アメリカに安全保障を託し、日本は経済に集中するという「吉田路線」を国家戦略として歩んできたことにより、復興に成功し目覚ましい経済発展を遂げることができました。それはある意味で対米依存の国家戦略でした。

しかし、9・11の同時多発テロ事件を分岐点として「パックス・アメリカーナ」が揺らいでいることを背景に、現在の米中対立の状況の中で、日本として、自ら平和をつくる国家戦略を模索すべき時に至っているのではないでしょうか。反転攻勢の世界戦略と言ってもよいと思います。

第一節　日米同盟のキーワード
～対日防衛コミットメント～

確かに、戦後日本の国家戦略とも言うべき吉田路線は、パックス・アメリカーナが大前提の戦略でした。先ず、日米同盟に至る経緯を振り返ることによって、その本質的な特徴を明らかにし、これからの国家戦略を構想する際の出発点にしたいと思います。

戦後日本の国家戦略としての吉田路線

私の子供の頃というのは、戦後約10年余り経っていました。今から思えば、まだ戦争の傷跡が癒えきってない時代でしたが、人々はアメリカン・デモクラシーの恩恵の中で、希望と活力にあふれていたように思います。ある時、お互い仲のよい近所の大人たちが、少し声をひそめながら、「戦争に負けてほんまに大変やったけど、アメリカとの戦争には負けてよかったんちゃうか」と頷き合っているのを見て、怪訝に思ったことを覚えています。「ギブ・ミー・チョコレート」の時代を経て、人々の気持ちの中で、アメリカに対して憎しみの感情は既に少なく、むしろ好意や憧れさえ感じていたのかもしれません。

そのような国民感情も背景に戦後日本は国家戦略として、アメリカと組むことを選択したと言えます。即ち、アメリカに安全保障を託し、日本は経済に集中するという「吉田路線」を国家戦略として選択し、それは大成功したわけです。アメリカに安全保障を託すための仕組みが日米安全保障条約でした。安保条約は当時の首相兼外相であった吉田茂のア

吉田茂

イデアであり、吉田は、日本はアメリカに基地を提供し、アメリカは有事の際に日本防衛をコミットするという図式を描き交渉を進めました。

しかし、アメリカ側は対日防衛コミットメントについては否定的であり、そのことも含めて、安保条約は決してアメリカ側から押しつけられたものではありません。もっと言えば、アメリカ側に「日米安保条約」の発想は存在していなかったのです。当時、次の大きな戦いはヨーロッパで起こるであろうと予想していたアメリカとしては、極東の日本の防衛についてコミットをする気持ちがなかったのです。

「日米同盟」という言葉は、今では当たり前のように使われていますが、１９８０年代になって定着した言葉です。日米安保の構想自体、アメリカ側には有りませんでしたし、日本側においても、そのような発想が初めから有ったわけではなく、外務省の当初の案は、国際連合に守ってもらおうというものでした。

戦後日本の安全保障の構想作業は、吉田茂が外務省に対して、占領が終わり駐留軍が本国に帰還せねばならなくなった時に、日本の安全をどのように確保するのか研究するよう命じたことから始まりました。外務省の事務方は、スイスのような永世中立国を目指す案など、いくつもの選択肢の検討を重ね、１９５０年10月４日に吉田総理に提出した結論は、国際連合に守ってもらおうという考えでした（「米国の対日平和条約案の構想に対応するわが方要望方針」１９５０年10月４日付）。

戦後間もなくの状況を考慮すれば、それは無理もない面があります。当時の日本国民には厭戦気分が極めて強く、その中で「国際連合」は正義の味方のように映ったようです。また当時の国民感情としては、アメリカを中心とする西側にはっきりついてしまうと、再び戦争に巻き込まれてしまうのではないかとの懸念も強かったようです。

しかし吉田茂はこの外務省事務方の案には極めて不満で、報告書の欄外に激しく「野党の口ぶりの如し。無用の議論一顧の価なし、経世家的研究に付一段の工夫を要す」と書きなぐり、同月11日に外務省事務方に差し戻しました。

吉田茂としては、当時既に冷戦が進行していた中、国連は機能しないとの認識が有りました。国連の安全保障理事会は、５大国の有する「拒否権」の制度ゆえに、冷戦下においてソ連が関わる紛争についてはソ連が拒否権を発動するだろうからです。それでは国連の集団安全保障システムは機能し得ません。外務省の結論にあるような、国連に守ってもらうなどというのは、あまりにも国連を買いかぶり過ぎで、見識に欠けると映ったのでしょう。ソ連が日本に攻めてきた時に、国連は、安保理においてソ連が拒否権を行使するだろうから全く動けず、国連に守ってもらうなど机上の空論だと吉田茂は喝破したわけです。

吉田茂が欄外に書きなぐった「経世家」というのは立派な政治家という意味です。吉田茂としては、外務省の後輩達に対して、国家の中枢の外務省の省員が野党の口ぶりの如く無責任な発想をするなということだったのでしょう。

但し、その時点で吉田茂はまだ日米同盟の詳細を具体的にビジョンとしては描ききれて

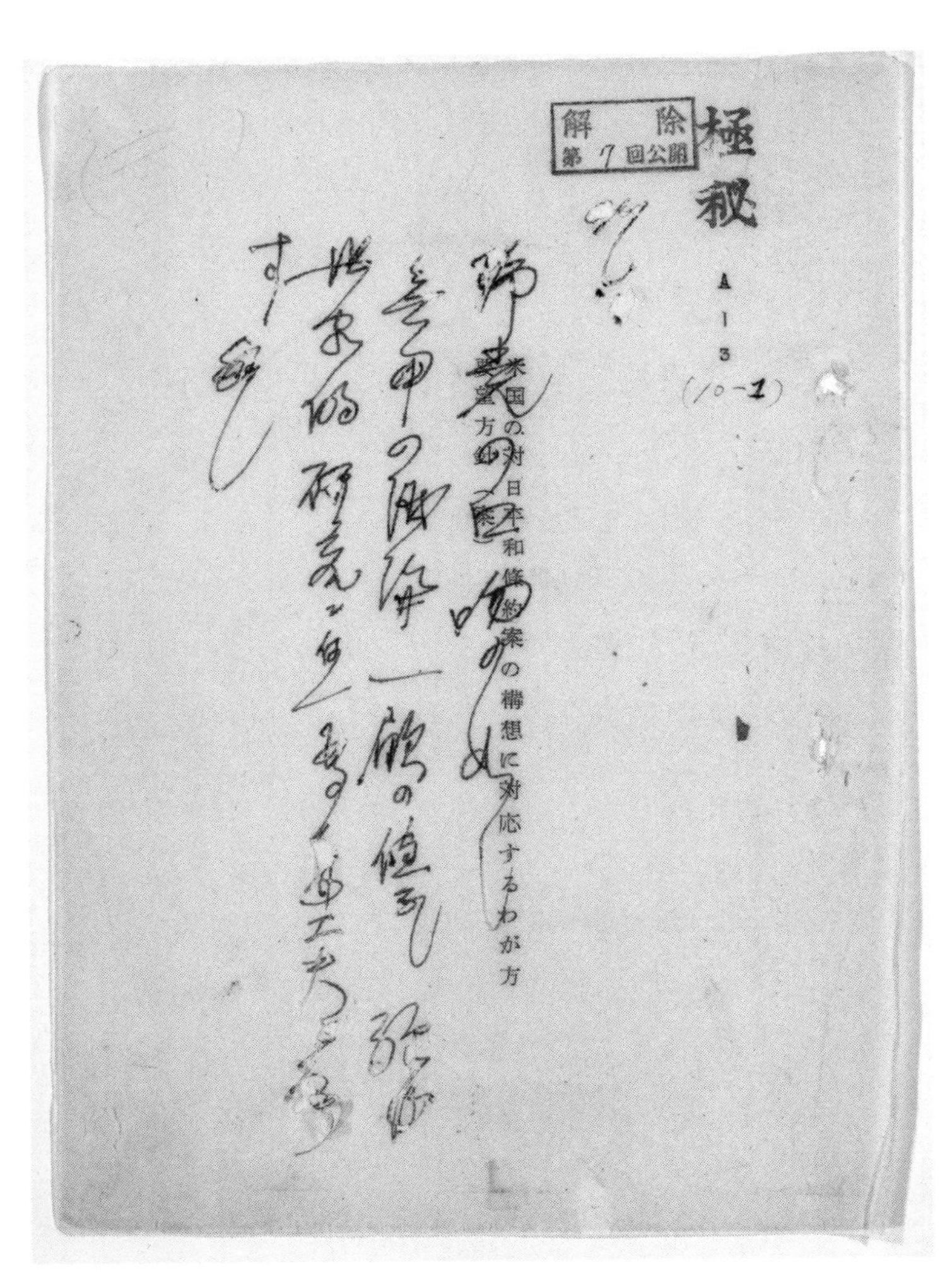
極秘

解除
第7回公開

A-3
(10-1)

米国の対日平和条約案の構想に対応するわが方
要望方針（案）

「米国の対日平和条約案の構想に対応するわが方要望方針」（1950年10月４日付）
＝当時は極秘の文書だったが、今は公開されている。吉田の乱雑な直筆が残っている＝

いませんでした。しかし、外交官として鍛えられたリアリストの吉田茂としては、国際連合が日本を守ってくれるなどという夢物語に頼ることはできず、また、スイスのような永世中立国云々と言っても、そのような立ち位置は、極東において日本の安全を保障しないという認識をはっきり持っていたのでしょう。吉田の感覚としては、戦後世界の覇権国としての地位を固めつつあったアメリカが頼もしく見えていたに違いありません。

政治家吉田茂としての勘から、彼は「アメリカと組む」という戦後日本の国家戦略ビジョンを描いていきます。昨日の敵は今日の友。これを当時の雰囲気の中で官僚が発想するのは難しかったかもしれません。それは政治家の発想でした。

対日防衛コミットメント（defense commitment）

吉田茂は、冷戦が激しくなる中、日本としてはアメリカに基地を提供することと引き換えに、アメリカに日本を守ってもらうという図式を描きました。そして1950年4月、当時の池田勇人通産相が渡米する「池田ミッション」を通じて、この考え方をアメリカ側に伝えました。

先にも述べたように、アメリカとの安保条約は決してアメリカから押しつけられたものではなく、日本側、特に吉田茂の構想として生まれたものです。吉田としては、海洋国家（シーパワー）たる日本としては、同じくシーパワーである英米と連携すべしとの戦略観がその根本にあったようです。ただし、吉田の想いとしては、この図柄を実効あらしめるためには有事にアメリカが本当に日本を守ってくれるという「防衛約束」を条約の文言として取り付けたいとの強い想いが有りました。その意味で、日米安保条約における第一のポイントは、アメリカの対日防衛コミットメント（defense commitment）を取り付けることにあったと言えます。

ところが、アメリカ（ペンタゴン）は対日防衛コミットメントに否定的でした。この点については、今日からすると意外に思われるかもしれませんし、また今日でも日本ではあまり知られていないのですが、当時のアメリカとしては、冷戦下における次の大戦は東西ドイツの分断に見られるようにヨーロッパで起こると予想し、アジア、とりわけ極東の日本に防衛のコミットをさせられることは避けたかったのです。

Response: Whereas it is recognized that the security of th
United States would be greatly assisted by measures which woul
provide for the security of our position in the Asian offshore islan
chain (as well as for the security of Western Europe), it is doubt
ful that the United States alone, in a global war, could provid
an effective defense of that chain. Further, a commitment by th
United States such as that proposed, would remove the incentiv
to the Japanese to provide adequately for their own security. Th
present risk of global war leads the Joint Chiefs of Staff to th
conclusion that the United States cannot agree to entering int
such a formal obligation to Japan as would make the security o
that nation a military commitment of the United States. There
fore, the United States should not formally agree now or in th
foreseeable future to committing substantial armed forces to th
defense of the island chain of which Japan forms a part.

(3) Leaving the Ryukyu and Bonin Islands under Japanes
sovereignty, subject to the provision of the contemplated militar
security agreement which would presumably take special accour
of the position in Okinawa?

Response: The Joint Chiefs of Staff strongly disagree to an
relaxation of the terms of approved United States policy relatin
to these islands. The Joint Chiefs of Staff fail to perceive an
reason for such a gratuitous concession. On the contrary, the
consider that exclusive strategic control of those islands must b
retained by the United States in order for us to be able to carr
out our commitments, policies, and military plans in the Pacifi

「"Report by the Joint Strategic Survey Committee to the Joint Chiefs of Staff" FRUS 1950 Volume VI East Asia and The Pacific, PP.1385-1392」＝下線部分は筆者による＝

このアメリカのスタンスは、当時の統合参謀本部の文書に、「米国は日本の防衛にコミットすることに公式に同意すべきでない」とはっきり記されています。

しかし、この辺の真意は言わずに、1951年の1月25日から2月1日にかけて東京で行われた日米交渉において、ダレス特使（後にアイゼンハワー政権で国務長官となる）は「日本側がアメリカの対日防衛コミットメントを望むのであれば再軍備すべし」と強く主張しました。ダレスとしては、当時吉田茂が経済復興を最優先し、再軍備にむしろ消極的であったことをあらかじめ知りつつ、アメリカの対日防衛コミットメントを避ける為の議論として再軍備を持ち出したのではないかと私は推測します。

このダレスからの言及に対しては、吉田は再軍備に反対の立場を貫くとの決心を固めており、のらりくらりと応えて、アメリカ側をいら立たせました。

「太平洋協定」案

日米安保条約に至る日米間の交渉プロセスの中で、1950年の春、アメリカ側から

「太平洋協定（Pacific Pact）」という多国間の枠組みが提案されたことがあります。これは、前年の1949年にNATOが設立されたこと、及びアジアにおいても冷戦が進行しつつあったことを背景に、NATOのアジア・太平洋版として考えられたものですが、NATOとは異なり、明確な防衛コミットメントは含まれていませんでした。アメリカとしては多国間の枠組みの方が自らの防衛コミットメントの比重を薄めることができるという狙いがあったのでしょう。

太平洋協定案は、ダレスが訪日した際の2月1日にアメリカ側から言及されましたが、吉田茂率いる日本側は曖昧な表現で応答することによって、これには取り合いませんでした。吉田茂としては、基地はアメリカに貸すのだから、多国間ではなく二国間の枠組みによってアメリカに日本を守ってほしいという発想が根底にあったと思われます。

太平洋協定案が日米間で言及されたのはこの時だけであり、これが最初で最後でした。この案がその後アメリカ側から言及されることがなかった理由について、当時の駐日大使館の三等書記官だったリチャード・フィンは、一つには日本の憲法上の制約（日本は海外に兵力を派遣できない）、もう一つはイギリスの反対を挙げています。当時イギリスとしてはもはや太平洋地域で大きな軍事的責任を負えなくなっていたという事情は有ったとは思いますが、表向きには、自らがメンバーに含まれていないということが反対の理由でした。

このような経緯で太平洋協定のアイデアは見送りとなり消えていきますが、アメリカには極東における防衛コミットメントは何としても避けたいという本音があり、この案をかなり本気で考えていたことに、日本側は全然気付いていませんでした。そして、極東での防衛コミットメントを避けたいアメリカ側の本音を日本側が感知できなかったことは、その後の日米安保条約交渉で日本側に大きな痛手を残すことになります。吉田茂としては、アメリカに対する基地提供への見返りとして、有事の際にアメリカが日本を防衛するというコミットメントを条約上取り付けるために二国間の枠組みを重視していたのであり、多国間の枠組みは発想にありませんでした。

この「太平洋協定案」については、世の中ではほとんど知られていませんが、アメリカの対日防衛コミットメントに対する考え方を知る上で非常に重要です。

近年議論されているアジア・太平洋地域において多国間の安全保障の枠組みについては、

中国等の権威主義国家にどう対応するかという文脈からは、その意義を否定するつもりはありませんが、この時アメリカが「太平洋協定案」を提案した際には、多国間の枠組みの方が自らの防衛コミットメントの比重を薄めることができるとの想いが有ったという経緯もよく認識しておく必要があります。

「極東条項」という日米安保条約交渉の落とし穴

それ以後1年余りにわたって、日本側による基地提供に対してアメリカ側の対日防衛コミットメントを取り付けられるかを巡り日米間で交渉が重ねられました。

吉田茂にとっては、ほぼ望ましい形で交渉が進展していたかに見受けられましたが、交渉最終段階の1951年7月30日、アメリカ側から、「在日米軍を極東における国際の平和と安全の維持及び外部からの武力攻撃に対する日本の安全に寄与するために使用することができる（may be utilized）」との案文がサラッと示されました。このいわゆる「極東条項」は、アメリカ側の国防総省（ペンタゴン）が対日防衛コミットメントに極めて否定的であったことによるものです。ちなみに、この「may be utilized」について、日本側の関連文献では全て「使用することができる」と訳されていますが、この訳し方について私には違和感があります。「may」に関する英語の基本的知識からしても、正しい訳は「使用されるかもしれない」ではないでしょうか。アメリカ側は「may」という文言を提案することにより、対日防衛コミットメントを、「かもしれない」という不確かなものにしようとしたのです。

外務省の西村熊雄条約局長と藤崎萬里条約課長は、当時は朝鮮戦争の真っ最中であったことから、アメリカの提案は当然だと理解を示し、翌31日、井口貞夫外務事務次官からアメリカ側に対し、「提案された変更点は全て日本政府として合意できる」と回答してしまいました。

日本側事務方（西村と藤崎）はこの時、この条約案文が実はアメリカの防衛コミットメントを事実上ほぼゼロにするためのものであることに気付いていなかったのです。彼らは、吉田総理に報告した際、吉田から、may be utilizedというのは、同時にmay not be utilizedでもあるのだから、この文言はアメリカの防衛コミットメントをゼロにするため

Re: Interpretation (3)

3 August, 1951

Please substitute the following three paragraphs for the first paragraph of 3.

It is mentioned in paragraph [illegible] of the Preamble that "the United States ---- should maintain armed forces of its own in and about Japan so as to deter armed attack upon Japan." And in Article 1, it is stated that "such forces may be utilized to contribute to the maintenance of international peace and security in the Far East and to the security of Japan against armed attack from without ----." This sentence is understood to mean actually that:

Such forces will be utilized to contribute to the security of Japan against armed attack from without ---- and may be utilized to contribute to the maintenance of international peace and security in the Far East.

Note: In that part of the sentence which reads that "such forces may be utilized to contribute to the maintenance of international peace and security in the Far East", the word "may" is understood to mean that Japan would have no objection to the United States using its armed forces in Japan for the purpose of contributing to the maintenance of international peace and security in the Far East."

This

0074

藤崎条約課長からアメリカ側に送られたメモランダム

のものではないか、と指摘されて、真っ青になってしまいました。エリート中のエリートの西村条約局長と藤崎条約課長が、「may be utilized」が「使用されるかもしれない」ということであり、アメリカ側として対日防衛コミットメントを事実上ゼロにする意図であることになぜ気付かなかったのか。朝鮮戦争真っ最中のアメリカ側からの提案に、つい理解を示してしまったわけですが、彼らほどの優秀な外交官にしては、疲労もたまっていたのか、大きなミスでした。これには、大好きな葉巻まで「願掛け」で断ってきた吉田茂としては、怒り心頭でした。

新案文の文言に隠された本当の意味に気付いた西村条約局長と藤崎条約課長は（おそらく吉田総理にこっぴどく叱られたのでしょう）、アメリカ側へ回答してしまった後であるにもかかわらず、慌てて短い文書を起案し、8月3日、〈極東の平和と安全の維持の場合は「may」be utilized であるが、日本への攻撃の場合は「will」be utilized であると解するが如何か〉とのメモランダムを、藤崎条約課長からアメリカ側のフィン書記官に届けました。日本側としては、もはや文言の修正は無理としても、「解釈」として、日本本土が攻撃された場合には在日米軍が「使われる」として、アメリカの対日防衛コミットメントを確保しようとしたのです。

しかし、アメリカ側はこれを完全に無視しました。8月3日に日本側からフィン書記官に手渡されたメモランダムには一切触れることなく、即ち日本側の最後の抵抗虚しく、翌8月4日には、日本政府に対し、「7月31日に返事を頂いたそのラインでアメリカ側としては関係省庁を既にまとめてしまった」と素っ気ない返事を返してきました。

国防総省（ペンタゴン）は、8月11日付けで国務長官宛に、「国防省は、日米安保条約の草案における変更について、東京のGHQ外交局長、ウィリアム・J・シーボルドが日本政府の了解を速やかに取り付けてくれたことに感謝する」との書簡を送っています。ペンタゴンが国務省に対して、よくぞ対日防衛コミットメントをゼロにしてくれたと謝意を伝えたのです。

こうして、1951年の日米安保条約の条文から、有事の際のアメリカの対日防衛コミットメントの文言は消えました。これこそが吉田茂の1951年安保条約の最大の欠陥でしたが、そのことは吉田茂の胸の内にしまわれ、当時誰にも分かりませんでした。そしてそれが岸信介による1960年安保改定につながる遠因となるのです。

平和条約がサンフランシスコにおいて1951年9月7日に署名され、翌8日に場所を第6兵団プレシディオに移して、日米安保条約の署名式が行われました。アメリカ側はアチソン国務長官ら4名が署名しましたが、日本側は吉田茂が一人で署名しました。平和条約には署名した池田勇人らの名前は安保条約に有りませんでした。

吉田茂としては、アメリカの対日防衛コミットメントを確保できなかったという意味で、1951年の日米安保条約は彼にとっては画竜点睛を欠くものであり、全権各人の名で署名すると、将来その欠点が世に知られることになってしまった場合に、弟子の池田勇人も共同責任を負わされることになりかねないことを危惧したのではないかと察します。それが、「歴史に対する責任は自分一人で負う」という吉田の表現の真意ではないでしょうか。

1951年の日米安保条約締結後も、日本はアメリカの対日防衛コミットメントを安保条約の条文上確保する努力を続け、ようやく10年後の1960年、岸信介による日米安保条約改定によってそれが成し遂げられ、アメリカの対日防衛コミットメントが明文化されました。

岸信介の安保改定については、何のためだったのかと思う人が多いようですし、案外そ

日本安保条約に一人で署名する吉田茂

の真の位置付けについて正確に理解されていないと思うのですが、それは、先に述べた文脈に照らせば、吉田茂の時代に不覚にもやり残した大きな宿題をやり遂げること、即ちアメリカの対日防衛コミットメントを条約上確保するためのものでした。岸信介はそれを国内的に詳細に説明せずに行いました。「吉田茂が取り付け損なったものを取り付ける」などという余計な説明も一切しませんでした。岸信介としては、吉田茂を守ろうとしたのではないでしょうか。そして、このために岸信介は安保条約改定強行の代償を支払い、首相を辞任します。政治生命と引き換えに、条約文言上のアメリカの対日防衛コミットメントを確保したと言えます。これが１９６０年安保改定の正確な理解だと思います。その意味で、岸信介の果たした歴史的役割は極めて大きいと思います。吉田茂の時代に外務官僚のミスによって取り逃がしたアメリカの対日防衛コミットメントを確保し、未完の名画を完成させたわけです。

このように日米安保条約の交渉に関しては、日本の同盟政策として、アメリカの対日防衛コミットメントを確保することが核心部分であったことが分かります。そして、アメリカが対日防衛コミットメントをこれだけ渋ったことは、歴史的事実として、私たちが冷静に把握しておくべきことです。

同時に、日米安保条約は、必ずしもアメリカから押しつけられたものではないということも、ここで改めて確認できると思います。そこには吉田の、戦後の冷戦下、安全保障理事会5大国の拒否権ゆえに国連ではとても日本の安全保障は守りきれないとの冷徹な判断が有り、それは正に外交官出身のリアリストならではの感覚であったわけですが、同時に敗戦後の日本再興にかけた政治家として、アメリカに安全保障を頼って日本は経済の復興に専念するとの戦略観も有りました。

このアメリカの対日防衛コミットメントの確保を巡る経緯については、当時条約局長であった西村熊雄が後年、自らの著書で率直に述べています。極めて分かりやすく書かれてあるので、西村の記述をそのまま抜粋しましょう。

「安全保障条約は平和条約と違い、第三次交渉とサンフランシスコ会議との間に重要な修正（形式上も内容上も）が加えられた。最も重要なのは、いわゆる『極東条項』の挿入である。その結果、それまでの案文では在日アメリカ軍隊は外部からの攻撃に対して日本の安全に寄与するためにあるとされていて、在日アメリカ軍隊による日本防衛に疑問はなかった。ところが『極東における国際の平和と安全の維持』という一句が新たに加わり、しかも、末尾の文言が『…寄与するために使用することができる』となったために、在日アメリカ軍隊による日本防衛の確実性が条約文面から消えてしまった。我が方は、この点を重視して、その然らざるゆえんを条約解釈問題として理論づけ、これに対しワシントンの同意を取り付けようと大いに努力した。しかし、当時、この目的は達成されなかった」（西村熊雄『日本外交史27サンフランシスコ平和条約』より）

そして、西村は「(注)」として、小さな文字で、極東条項について、「充分考慮を払わないで『同意あって然るべし』との結論を総理に上申したことは、今日に至ってなお事務当局として汗顔の至りである。これらすべては一九六〇年一月十九日の日米相互協力及び安全保障条約で是正された。せめてもの慰めである」(西村熊雄、「日本外交史27 サンフランシスコ平和条約」pp.173-174)と記しています。

交渉の最後の最後に、アメリカ側が対日防衛コミットメントを事実上ゼロにする案文を提案してきた際、その真の意図に気付かずに「充分考慮を払わないで」了解してしまったわけで、上記文章からも、それが西村にとっては、一生後悔の残るミスであったであろうことが察せられます。

ここで私たちが注意すべきは、この時アメリカが条約上の対日防衛コミットメントを拒否したという「歴史の事実」です。アメリカが日本を守ってくれることが当然と思い込んではいけないことが、ここからもよく分かると思います。

そして、アメリカの防衛コミットメントをどのように確保するかということが、それ以後の日本の安全保障政策の根幹となりました。日米同盟を語る時、対日防衛コミットメントが最大のキーワードです。このことは今も全く変わっていません。

当時の外務大臣は吉田茂総理が兼任、それを支える外務省事務当局の中心は、西村熊雄条約局長とその部下の藤崎萬里条約課長でした。サンフランシスコ講和条約、日米安全保障条約という、ほとんどの外交官が一生巡り合えないような大きな仕事を成し遂げた両名でしたが、この戦後日本の根本的土台となる重要な二つの条約をまとめた有能な外務省幹部がともに、何故か次官（事務方のトップ）になることなく、外交官人生を終えています。外務省での西村の最後のポストはフランス大使、藤崎はタイ大使でした。もちろんそれぞれに極めて立派なポストですが、少々不可解に感じます。ひょっとしたら、吉田茂の怒りが収まらなかったゆえでしょうか。

１９５１年の日米安保条約にアメリカの対日防衛コミットメントが条約の文言上、確保できなかったことは、吉田茂にとって痛恨のミスであったはずです。吉田はそれを感情として表には出していませんが、事務当局の西村と藤崎に対して言いようのない怒りの気持ちを抱いてしまったのではないでしょうか？　このことは吉田茂自身もどこにも触れていないし、他の誰も全く触れていません（注、なお藤崎は後に条約局長に就任し、１９６０

年の日米安保改定をやり遂げ、「落としまえ」をつけた格好にはなっています）。

西村はその後、ハーグにある常設仲裁裁判所の判事に、藤崎は日本の最高裁判所の裁判官になっています。西村、藤崎両名とも、サンフランシスコ講和条約、日米安保条約という歴史的な大作業をとにもかくにもやり遂げたことに違いなく、その功績に報いるべく、外務省が頑張ったのだろうと察します。

「統合司令部」（unified command）問題

日米安保条約の第二の柱は、日米が対等なパートナーであるとの建前をあくまで貫く観点から「統合司令部」を拒否したことです。1951年、日米安保条約の実施取り決めとして、日本とアメリカは「行政協定」の交渉に入りました。その中で一番もめた争点が、アメリカ側から提案された「統合司令部」（unified command、アメリカ軍の最高司令官が日米両方を指揮する）についてでした。アメリカとしては、ヨーロッパでのNATOと同様に、日米間においても有事の際には統合司令部を設置し、アメリカの司令官が日米両方を指揮することが当然だと考えていたわけです。特に国防省はそれを強く主張しました。しかし吉田茂は、統合司令部を受け入れることは、日本がアメリカの駒であるかのように国民に受け取られかねないとして、アメリカとの交渉において頑として譲りませんでした。

アメリカにしてみれば、ＮＡＴＯについては戦勝国のイギリスとフランスから初代の統合司令官として是非アイゼンハワー元帥を送ってほしいと言われて派遣したくらいなのに、戦争に敗れた日本が、まさか統合司令部の提案に難色を示すなど予想だにしていなかったことでしょう。

これに対してアメリカ側のダレスは、「自分は今、アメリカの上院でサンフランシスコ講和条約と日米安保条約の批准作業のために汗をかいているが、日本がもし『統合司令部』にどうしても同意しないというのであれば、両条約の上院での批准作業から手を引く。日本は占領状態に戻ってよいということか」という趣旨の圧力をかけてきました。そこまで言われて吉田茂は極限まで呻吟したわけですが、幸運なことに、その間にアメリカ側において国務省が、「日本に対してこの問題で圧力をかけ過ぎると、吉田が国内政治的に窮地に陥りかねず、日米関係にいい影響を与えない」と分析し、国防省を説得しました。その結果、行政協定案文から「統合司令部」設置は削除されました。先述した旧安保条約における「極東条項」(may be utilized) については、国務省が国防省の言い分を尊重したのとは逆に、「統合司令部」(unified command) については、国務省が国防省を説得したわけです。

日本の対米同盟政策の観点から特筆すべきなのは、吉田茂が、アメリカが当然のごとく提案してきた「統合司令部」設置構想を拒否し、日米が対等なパートナーであるとの建前をあくまで貫いたことです。交渉は極限の選択を迫られて容易ではありませんでしたが、吉田茂はそれを拒否しきったのです。

この歴史的事実は、世間にはほとんど知られていませんが、吉田茂の遺産として記憶されるべきものです。それは日米が対等なパートナーたるべしとの吉田の気概の表れであり、戦後まもなくの当時の日本の状況を考えると、堂々の同盟政策であったと言ってよいでしょう。吉田茂は確かに、アメリカの対日防衛コミットメントについては安保条約に条文として確保し得なかったわけですが、よくぞ「統合司令部」を断りきったと思います。アメリカからのプレッシャーを受けて土壇場で悩みながらも、それを乗り越えた吉田茂の気概は見習うべきところが多いと、私は常に自分に言い聞かせています。

これにより、統合司令部（unified command）は行政協定に含まれず、司令系統は日米2本立てという独特の形となりました。即ち、日米は別々の指揮命令系統で指揮するということとなり、米軍はアメリカの司令官が、日本側は日本の司令官がそれぞれ指揮することになりました。その結果、日米間にいわゆる「ガイドライン」が必要になり、更には「共同作戦計画」を協議することが必要になったわけです。

日米安保体制には、その始まりにおいて、日本がアメリカの指揮命令系統下にあるわけではない、日米は対等のパートナーであるという形がビルトインされたとも言えます。

日米同盟は日本側の発想

このように、日米安保条約という構想はアメリカから押しつけられたものではなく、吉田茂が戦後の冷戦の影を感じ取って、５大国の拒否権により国際連合では日本の安全は守り切れないとの判断の下、リアリスト的感覚でもって発想したものであることが分かります。

具体的な同盟政策として、第一に、日本側はアメリカの明確な防衛コミットメントを条約上取り付けることを最重視しました。但し、結局、当時の日米安保条約では文言上はアメリカの防衛約束は取り付けられず、それは１９６０年の岸信介による安保条約改定まで待つことになります。そして第二に、アメリカが要求してきた「統合司令部」を拒否し、日米が対等なパートナーであるとの姿勢を貫いたことが挙げられます。

吉田茂が敷いた「吉田路線」は、その後日本の確固たる国家戦略として、日本の平和を確保し、また、繁栄を築き上げる基礎となりました。戦後日本の国家戦略は、近年まで基本的に「吉田路線」です。有事にはアメリカに守ってもらうことを確保し、日本は経済に集中するという路線です。それにより、戦後日本が一度も戦争をせずに済み、その間、経済の復興・発展に取り組めたという意味で、「吉田ドクトリン」は大成功であったと言えます。

集団的自衛権についてのアメリカの苛立ち

しかしアメリカ側には、日本が再軍備について消極的な対応を繰り返したことへのフラストレーションに加えて、集団的自衛権についても、自らはアメリカに集団的自衛権で守ってもらうのに、アメリカが攻撃を受けても集団的自衛権を行使できないというのでは、「片務的」で、不公平ではないかとの不満がくすぶり続けました。

集団的自衛権は、1945年に発効した国連憲章の第51条によって初めて認められた国際法上の権利で、他国が武力攻撃された場合に、自国が攻撃されていなくとも共同で（集団で）防衛を行う権利です。

日米安保体制の「片務性」というのは、アメリカについては現在の安保条約第5条により、日本が攻撃された際に、自らは攻撃をされていなくても、集団的自衛権による対日防衛義務をコミットしているが、日本は自らの集団的自衛権の行使については、自制的な解釈を行い、集団的自衛権は保有しているが「使えない」との解釈をしてきたことを指します。つまりは、仮にアメリカが攻撃されても、日本としては集団的自衛権を使えないと解釈しているため、アメリカを守ることができないということになり、アメリカ側には不満がずっとくすぶり続けてきました。アメリカには日本が日米は対等なパートナーだと主張するのであれば、この片務的条約を何とかするべきだとの思いが根強く存在しています。日本が経済的に大きくなるにつれて、アメリカでは日本の「安保ただ乗り」論が台頭し、日本に「バードン・シェアリング」（負担分担）を求める声が高まりました。こうした片務性に対する不満は、トランプ前大統領の言辞にも表れ、トランプ前大統領は、「我々が攻撃されても、日本は我々を助ける必要はない。彼らができるのは攻撃をソニーのテレビで見ることだ」と語ったと言われます。

アメリカ側における日本の片務性に対する不満が、アメリカの日本に対する防衛コミットメントに悪影響を与えることがないように、日本としては、アメリカ側の不満を和らげるべく、様々な「工夫」を重ねてきました。いわゆる「思いやり予算」（ホスト・ネーションン・サポート）もその一例です。日米地位協定では、日本側の負担は施設・区域、土地の賃料や地主への補償のみとされているにもかかわらず、1978年から日本は「思いやり予算」として、基地従業員の福利厚生費の負担を始めたのみならず、その後、労務費の一部や米軍の家族住宅、娯楽施設の負担などにも広げています。今や、日本は米軍駐留経費の約7割以上を負担しています。しかし、それでも片務性に対するアメリカの不満の根は深く、日米安保体制のアキレス腱となりかねません。日本は２０１５年の安保法制により集団的自衛権に道を開く解釈を認めましたが、「限定的」であり、今も不満が完全に無くなったわけではないでしょう。

意外かもしれませんが、集団的自衛権は、前述のように、国際連合によりつくられた概念です。１９４５年に国際連合ができた時に、国連憲章において集団的自衛権という新たな概念をつくったのです。その意味では集団的自衛権は国家が元々有する「自然権」ではなく、人がつくった権利です。集団的自衛権は元々国家が有する固有の権利だと言う人もいますが、それは間違いです。集団的自衛権は、国際連合が加盟国に認めた人工の権利なのです。

第二次世界大戦を経て、戦争をなくすために国際連合憲章は、武力の行使を禁止しました（憲章2条4項）。しかし、国際社会には国内と異なり警察が存在するわけではないので、自衛権による武力行使は例外として認めることとし、更に、当時既に東西冷戦が始まっており、万が一、対立国から攻撃を受けた場合には個別的自衛権だけでは足りない場合が有り得るとして、新たに「集団的自衛権」なるものをつくったわけです（憲章51条）。即ち、例えばのことではありますが、当時のソ連がイギリスを攻撃してきた場合、アメリカは自分が攻撃されていないので、通常の自衛権だけでは、ソ連に対して武力を行使することは認められませんが、それではイギリスを助けられないから困るというので、国連憲章により「集団的自衛権」をつくったわけです。それにより、ソ連がイギリスを攻撃してきたら、アメリカは、自らが攻撃されていなくても、「集団的自衛権」により、ソ連に対して武力を行使してイギリスを助けることが認められるということにしたわけです。

日本は国連加盟後も「集団的自衛権」についてブレーキ

したがって、国連加盟国ならば、どの国も集団的自衛権が認められていることになります。国連に加盟すれば当然日本にも認められるはずです。しかし、日本は１９５６年に国連加盟後も、自らブレーキをかけて、集団的自衛権については「持っているけれども、使えない」としてきました。日本が集団的自衛権を「持っている」ことについては異論を言う人はいませんが、解釈により敢えて「使えない」としてきたわけです。

安全保障に関する国際連合の本来の構想としては、「国連軍」を創設して、「集団安全保障」のシステムを構築する予定でした。しかし今に至っても国連軍は創設されず、したがって国連が想定していた集団安全保障のシステムはできていないので、国連加盟諸国は自衛権（含む、集団的自衛権）の世界で生きざるを得ないわけです。

ちなみにここでいう国連の「集団安全保障」というのは、集団的自衛権とは異なるものです。集団安全保障は、A、B、C、Dの国のかたまりがある場合に、その「内部」で、DがAを武力攻撃した場合に、B、CがAを助けるというものです。一方で、「集団的自衛権」はこれとは異なり、A、B、C、Dという国のかたまりの「外部」からXという国がAを武力攻撃してきた場合に、たとえB、C、Dは直接に武力攻撃を受けていなくても、集団で自衛権を行使しAを助けてXに対抗するというものです。

日本は1956年の国際連合への加盟により、自動的に集団的自衛権も認められたと言ってもよかったのですから、本来、集団的自衛権について使えるとか使えないとかの議論は不要なはずでした。ただ、戦後まもなくの日本を取り巻く感情も考慮して、日本は敢えて自らにブレーキをかけて憲法9条を「解釈」し、集団的自衛権を「使えない」としたのだと思います。

日本国憲法には「集団的自衛権」という言葉だけでなく、「自衛権」そのものについても一切言及されていません。したがって、自衛権については「集団的自衛権」も含めて、全て「解釈」の問題と言えます。

国際連合憲章で、加盟国に集団的自衛権が認められており、また「憲法9条」の文言上は集団的自衛権を禁止する等の文言はなく、これまで「解釈」により自らにブレーキをかけてきたのであれば、新たな「解釈」により、日本も国連加盟国の一つとして集団的自衛権の行使が認められるとしてよいのではないでしょうか。即ち、集団的自衛権の行使については、現在の憲法9条の「解釈」でフルの行使が可能だと私は考えます。

アメリカが本当に日本を守ってくれるのかという対日防衛コミットメントの実効性を確保することが、戦後これまでの日本の安全保障政策の要であり、そこに日米間の「片務性」の問題がアメリカ側の不満要因としてくすぶり続けているとすれば、それに対処しなければなりません。この観点から、2015年の安保法制は、アメリカの対日防衛コミットメントを確保するための努力の一環として、集団的自衛権の行使について「解釈」の見直しにより、その行使について道を開いたものです。

なお、2015年の安保法制について言われる集団的自衛権は、極めて抑制されたもので、個別的自衛権に「毛が生えた」程度と表現する人もいます。即ち、「わが国と密接な関係にある他国に対する武力攻撃が発生し、これによりわが国の存立が脅かされ、国民の生命、自由及び幸福追求の権利が根底から覆される明白な危険がある事態」(「存立危機事態」)と認定され、「わが国の存立を全うし、国民を守るために他に適当な手段がなく、事態に対処するため、武力の行使が必要であると認められる」場合に、「必要最小限度の実力行使」を行うこととしており、世界各国の集団的自衛権と異なり、自国防衛に限った「限定的」行使です。

国際連合に加盟した時点で本来認められる集団的自衛権について、日本は自ら遠慮してブレーキをかけてきたわけですが、もうそのブレーキの必要はなくなっているのではないでしょうか。戦後80年近く経って、日本が戦争を望まない国であるという国際的な信頼は得られているのではないかと思います。対日防衛コミットメントを確保する必要性と併せて、政策論として、他の国連加盟諸国と同様、日本も集団的自衛権は、「有するのみならず、使用することができる」と解すべき時に来ているのではないでしょうか。

第二節 「パックス・アメリカーナ」の揺らぎ ～9・11の衝撃～

「アメリカン・シーザー」

アメリカの外交戦略の柱の一つは、「民主化」支援です。先述のとおり、民主主義の国どうしでは戦争は起こらないという強い確信があるからです。

米陸軍元帥だったマッカーサーは、太平洋戦争終結後の日本赴任に際して、自らを「アメリカン・シーザー」と呼び、シーザーがローマの占領地にローマの文明を植え付けていったように、「アメリカン・シーザー」として占領下の日本にアメリカ流の民主主義を植え付けることを自らの使命としていたといいます。

マッカーサーがこのように自分に言い聞かせたことには背景があります。マッカーサーはアメリカの陸軍大学校（ウエストポイント）で何十年に一人と言われる優秀な存在であり、後輩のアイゼンハワーが落第しそうになる度に助けたと言われます。戦後、マッカーサーは「極東」日本に占領軍の司令官として赴いたわけですが、当時の花形舞台はヨーロッパであり、マッカーサーはその意味では必ずしもハッピーではなかったと言われています。そこでマッカーサーは自らをシーザーになぞらえて、日本にアメリカ流の民主主義を植え付けることが自らの使命であると言い聞かせ、自分を納得させたというのです。そし

マッカーサー

て、日本はアメリカ流の民主主義にしっかり染まりました。ちなみに、アイゼンハワーはヨーロッパの英仏から切望されてＮＡＴＯの最高司令官として赴任しました。

この「アメリカン・シーザー」による成功体験が、むしろその後のアメリカ外交に影を落としていったのではないかと思われます。手ごわい日本を打ち負かして、戦後日本をアメリカ流の民主主義に染め上げることができたのだという自信が、かえってその後のベトナム戦争での失敗につながり、やがてアフガニスタン、イラクでの苦労につながっていったのではないでしょうか。「アメリカン・シーザー」による成功体験ゆえに、アフガニスタンそしてイラクに、アメリカ型の民主主義を植え付けようというパターンが繰り返されてしまったように見えます。しかし、アフガニスタン戦争は勝ち戦とは言い難く、むしろ負け戦に近いのではないでしょうか。ソ連はアフガニスタンに侵攻して10年で崩壊しました。アメリカはアフガニスタンに行って20年を経過した２０２１年に撤兵を決断しましたが、その間ベトナム戦争以上に泥沼化し、アメリカの力を相当に弱らせてしまったのではないでしょうか。国内において格差が拡大し、分断と対立を深めてしまっています。アメリカの痛手と苦悩は、外から見たよりも遥かに大きいと言えるでしょう。それが、オバマ大統領の時代に「世界の警察官」たることをやめ、トランプ大統領の時代に「アメリカ・ファースト」の主張につながったのではないでしょうか。それは「パックス・アメリカーナ」の揺らぎにもつながっています。

このアメリカの痛手と苦悩は、アメリカの民主主義にも影響を及ぼしています。そのあまりに象徴的な出来事が、２０２１年1月6日のワシントンD.C.における議事堂乱入事件でしょう。各種報道は、アメリカの民主主義が危機に瀕しているとの懸念を強く打ち出していました。20年前の強大で自信にあふれたアメリカからは想像もつかないほど、現在は大きな痛みを抱えているように見えます。そしてアメリカの民主主義は立て直しを求められているように見えます。トランプ氏が大統領になった際のスローガンが「アメリカを再び偉大に（Make America Great Again）」だったことは、こうした歴史を象徴しているように思えます。

「9・11」――アメリカが揺れた日の記憶と衝撃

アメリカの民主主義が立て直しを必要とし、「パックス・アメリカーナ」が揺らぐに至った分岐点は、アフガニスタン戦争だったと思います。その発端が9・11アメリカ同時多発テロ事件です。

2001年9月11日については、特別な思いがあります。当時衆議院議員の1年生だった私はワシントンD.C.を訪問しており、議会の若手補佐官の人たちと議事堂の一室で朝食会をしていました。突然、議会の衛士が部屋に飛び込んできて、「飛行機が突っ込んでくるかもしれないから直ちに建物を出て避難してください！」と言われました。全く状況が把握できませんでしたが、とりあえず朝食会を途中で打ち切り、表に出たところ、大勢の人が議会や役所などの建物から蟻の行列のようにゾロゾロと出てきて避難している様子が見えました。空を見上げると、真っ青で美しく、何ら普段と変わらない様子でした。

その時です。国防総省（ペンタゴン）の方向でドーンという音がしたので、そちらに目をやると、煙が上がっているのが遠くから見えました。しかし、一体何が起こっているのか全く見当がつきません。今から思えば3機目の飛行機が国防総省の建物に突っ込んだ瞬間だったのです。

訳が分からないまま、とりあえず避難してジョージタウンに向かいました。9月で少し暑かったので、喉を潤したくて店に入ると、皆テレビに見入っていました。2つの大きなビルに飛行機が1機、2機と突っ込んでいく映像が繰り返し放映され、飛行機が突っ込む映像の度に、「オーマイガッド！」とか「ジーザス！」とか、絞り出すような声が聞こえました。一瞬はじめは映画の特撮シーンかと思ったのですが、実はニュースで、アナウンサーが「テロのようだ」と説明していました。その日のランチを予定して頂いていた柳井俊二大使から電話が入り、「今、情報収集の最中だが、どうも同時多発テロのようだ」とのことでした。時間とともに次第に状況がはっきりするにつれ、衝撃はみるみる大きくなっていきました。

9・11の事件は、アメリカの人たちにとってとてつもなく大きな衝撃でした。私自身もその場で、国全体が震えるような感覚を肌で感じたことを今でもはっきりと覚えています。

私は翌日に旧知のホワイトハウスの高官を訪ねることになっていました。彼は私が博士号をとったジョンズ・ホプキンス大学のＳＡＩＳ（高等国際問題研究大学院）の後輩でした。テロがあった11日のうちに彼に電話をして、「今日は大変なことが起こったので、明日のアポイントメントは忘れて頂いて結構だよ」と伝えたのですが、「いいからホワイトハウスに来い」と言うので、約束どおり翌日に訪ねて行きました。その日も暑い日で、受付で2、３時間も待たされイライラしていると、彼が真っ赤に頬を紅潮させて現れるなり、「これから戦争だ。日本も協力しなければいけない（Japan must cooperate.）」と堰を切ったように言うのです。私が「どこと戦争？」と確かめるように訊くと、「ビンラディンがいるアフガニスタンだ」と言います。私が「日本も協力して戦争しろというのであれば、もう少し説明してほしいが、エビデンスは有るのか？」と問いかけると、彼はその時点で相当いら立ちを募らせた様子を見せました。私が更に、「ソ連はアフガニスタンに侵攻して崩壊したけど、アメリカは大丈夫か？　アメリカにソ連と同じ運命を辿ってほしくない。テロは軍事力だけでは解決できないのではないか？」と投げかけたところ、彼は「アメリカの戦力はソ連よりずっと大きいから、３日で終わらせる」と応えました。私が、「３日で？」と言うと、「3日でダメなら、3カ月だ」と言う。更に私が、「3カ月？」と突っ込むと、「3カ月でダメなら、3年だ」といら立ちを隠しませんでした。彼にしてみれば、9・11の翌日既にホワイトハウスで戦争の打ち合わせに入り、日本担当だった彼は、日本の協力を取り付けるよう指示されていたのでしょう。そんな時に、事件後おそらく最初に訪れた日本人の私が戦争に対して慎重な物言いだったものだから、今から思えば彼がいら立ったのも無理はないと思います。

実際には、この戦争は友人が想定したとおりにはなりませんでした。米軍は2021年に撤退するまで、結局20年にわたりアフガニスタンに駐留し、アメリカにとっては史上最長の戦争になってしまったのみならず、そこからの痛みと苦悩は歴史の流れを変えるほど大きいものになりました。

アメリカへの甚大な影響

アフガニスタン戦争及びその後のイラク戦争における戦費と、それに関わる様々な社会的経費が、アメリカの経済の底を抜いたのではないか、というのが私の見方です。それがその後のリーマン・ショック等のアメリカ経済の不調をもたらした真の原因ではないでしょうか。残念ながらあの時の私の不吉な予感は的中してしまい、例えば、アメリカの投資銀行は事実上全て倒れました。ベアー・スターンズは2008年3月にJPモルガン・チェースが買収、メリルリンチは2008年9月にバンク・オブ・アメリカが買収、リーマン・ブラザーズは2008年9月に破綻。ゴールドマン・サックス及びモルガン・スタンレーは2008年9月に投資銀行業務を放棄しました。更に、フォード、クライスラー、GMという自動車産業はボロボロになってしまいました。クライスラーは2009年4月に倒産。GMは2009年6月に倒産。フォードはジャガーやランドローバーを売却し何とか倒産こそ免れましたが、危ないところでした。アフガニスタン及びイラクでの戦争がアメリカ経済を根底から疲弊させてしまい、それがアメリカの国力の相対的な変化へと結びついてしまったのではないかと考えます。

私はあの時、9・11の翌日の9月12日、ホワイトハウスで、アメリカの友人としてキツイことも言い、気持ちも伝えましたが、あの当時、アメリカの怒りはすさまじく、アフガニスタンに侵攻するということに異を唱えることは極めて難しい雰囲気だったと思います。しかし、後から冷静に分析的に振り返るならば、そこに当時のアメリカの驕りのようなものも有ったのではないかとの指摘が政治学者のズビグネフ・ブレジンスキーのようなアメリカの識者からなされています。そして、先述の「アメリカン・シーザー」メンタリティーとも呼ぶべきアメリカ外交のパターンもそこに潜んでいたかもしれません。

「パックス・アメリカーナ」の揺らぎ

さて、日米同盟という国家戦略、即ち「吉田路線」あるいは「吉田ドクトリン」は大成功と評価できると思いますが、それが成り立つためには、安全保障をアメリカに頼れることが必要不可欠です。つまり「パックス・アメリカーナ」が大前提です。

しかし今、世界は激動のカオスの真っ只中にあり、アメリカが戦後築き上げてきた「パックス・アメリカーナ」も揺らいでいます。私は、先述のとおり、そのプロセスが9・11即ち2001年9月11日の同時多発テロから始まったと見ています。アメリカはこの同時多発テロの後、アフガニスタンに出兵し、その後、イラクに出兵しましたが、この2つの戦争によって、国力がジワジワと削がれていったのです。2001年からのアフガニスタン戦争、そして2003年のイラク戦争を通じて、アメリカの国力の消耗は予想以上に激しく、アメリカ一極支配が崩れ、パックス・アメリカーナの揺らぎあるいは終焉が言われるようになりました。そしてアメリカはオバマ大統領の時代に、世界の警察官をやめると言い、続いて登場したトランプ大統領は「アメリカ・ファースト」と言いました。「アメリカ・ファースト」が、アメリカは自分のことで手一杯であるということを意味するのであれば、「パックス・アメリカーナ」の揺らぎを受けて、日本は国家戦略についてより深く思いを巡らさなければなりません。

このような背景のもと、ロシアのウクライナ侵攻などの状況を踏まえ、2022年12月、政府は防衛力強化のために「国家安全保障戦略」「国家防衛戦略」「防衛力整備計画」の3つの文書（「安保3文書」）を改定し、「反撃能力の保有」などを明記しました。これは日本として新たな一歩と言えます。

第三節　世界秩序を揺るがす米中対立
～「民主主義」対「権威主義」～

　9・11が発端となって、「パックス・アメリカーナ」が揺らぎ始め、それが中国の台頭と相まって「民主主義」対「権威主義」の構図を生み出しています。民主主義の守護神とも呼ばれるアメリカですが、9・11はアメリカ経済を根底から疲弊させ、それが国内における格差の拡大につながり、分断を生み、今やアメリカの民主主義の立て直しが急務とも言われる状況に至っています。

　我々日本人の多くは、民主主義体制が人々を幸せにできるという感覚が有ると思いますが、中国モデルの権威主義体制を受け入れる国もあり、民主主義が自動的に世界に広まるわけではありません。

　アメリカを中心とする資本主義グループは「市場資本主義」と呼ばれる、「民主主義」体制の資本主義であり、また、中国等のグループは、国家が経済活動を統制する「国家資本主義」と呼ばれる、「権威主義」体制の資本主義です。今やどちらの側も経済的には資本主義ですが、現在、アメリカや日本等の「民主主義」体制と、中国等の「権威主義」体制との間で、体制間の競争が繰り広げられており、「民主主義」対「権威主義」というシステム間の全世界レベルの闘争、いわば「新たな冷戦」とも言える状況になっています。そして、それを凝縮した形で「米中覇権戦争」があり、それは「パックス・アメリカーナ」を揺るがす象徴にもなっています。

特に2008年のリーマン・ショックに端を発する世界金融危機が、1929年の世界恐慌以来の世界的な大不況を引き起こしたことを機に、自由市場の失敗が言われ、市場に任せきりにせず国家が経済に大きな役割を果たすべきとの国家資本主義の権威主義体制の考え方に勢いを与えたかもしれません。そのことにより「民主主義」対「権威主義」の闘争は激しさを増したように思います。

米中対立の激化

元々、アメリカはソ連への対抗上もあり、「チャイナ・カード」という対中戦略をとり、中国に金と技術を与えて、「世界の工場」として育てました（「関与政策」）。中国はその結果、2010年にはGDPで日本を抜いて世界第2位の経済大国に躍り出ることになりました。中国の国力の増大に伴い、将来における米中間の経済規模の逆転すら言及されるようになっています。中国が国力を急速に増大させても、アメリカによる関与政策に中国がポジティブに反応している限り、アメリカとしては懸念の必要はありませんでしたが、中国がアメリカとの対抗意識を次第に隠さなくなるに至り、2000年代半ばからアメリカは中国の意図について疑問を持ち始めるようになりました。

今や中国は、アメリカとの間で「新型の大国関係」を呼びかけるまでに至っています。ちなみに、この「新型の大国関係」という語は、私が2012年外務副大臣として、当時国務委員だった戴秉国（たいへいこく）と会談した際、先方から言及があった用語で、その頃から中国はこの語を使っています。軍事面においては、中国はＡ２ＡＤ態勢（接近阻止・領域拒否）の構築を進めています（アメリカはこれに対し、統合エアシーバトルで対抗）。また、中国は10年後には米ロと並ぶ核大国になろうとしていると私は観察しています。領土関係では、中国は領域に関し独自の主張を行い、南シナ海で領有権を主張する境界線である「九段線」についてハーグの仲裁裁判所が否定しても、中国はそれを「紙屑」「茶番」として無視しました。２０１３年には、尖閣を「核心的利益」と呼び始め、更に、東シナ海において防空識別圏の設定まで宣言しています。経済においては、２０１６年に人民元がＳＤＲ（ＩＭＦの特別引出権）を構成する通貨に加えられました。また、「一帯一路」の名で「シルクロード経済ベルト」の構築を進め、２０１５年にはアジアインフラ投資銀行（ＡＩＩＢ）を設立しました。

米中の対立は、単にアメリカの対中貿易の赤字の問題ではなく、あるいは中国の通信機器メーカーである「ファーウェイ（ＨＵＡＷＥＩ）」のアメリカからの締め出し等、先端技術の覇権争いの問題に留まりません。これら経済の問題を超えて、世界の覇権を争う「米中覇権戦争」の状態に至ってしまっています。

このような状況を念頭に、米中は「トゥキディデスの罠」に陥ってしまっていると言う人もいます。「トゥキディデスの罠」とは、古代アテネの歴史家・トゥキディデスに由来し、既存の覇権国家と新興の国家が、戦争が避けられないところまでぶつかり合う現象をいいます。アメリカと中国が「トゥキディデスの罠」にはまってしまっており、行き着くところまで行くということであるとすれば、大変です。互いに核を保有している両国ですから、「冷戦」状態を超えて実際に武力衝突に至らぬよう、「トゥキディデスの罠」から逃れることができるように、外交官たちが頑張らなければなりません。外交官で処理できなければ「軍人の仕事」になってしまうのですから。

米中対立の要因の一つであるアメリカの対中貿易赤字問題については、それはそもそもアメリカがグローバル化を過度に進め、自国にない外国の商品を借金して買い、消費する体質になってしまった結果だとも言えます。アメリカが低賃金労働の中国で工場をつくり、その製品を輸入するというライフスタイルを続けてきたことが、対中貿易赤字の最大の原因です。中国の台頭は、アメリカ自身のグローバル化政策の結果であるとも言えます。残念ながらアメリカはその間、国内における再分配機能が十分なイノベーション投資を怠っていました。そのため、アメリカでは雇用が減少し、労働組合が弱体化し、所得格差が悪化し、経済が停滞してしまったのです。

小売企業も次々と店を閉めています。私が１９８０年から１９８２年にかけて住んでいたワシントンD.C.の中心部には、オシャレな小売店がたくさんありましたが、今ではスターバックスのようなチェーン店がほとんどで、個性が乏しくなってしまっています。また、自動車産業、エネルギー産業、鉄鋼産業の雇用が急速に減少しています。シリコンバレーのＧＡＦＡ（巨大ＩＴ企業）４社も雇用を拡大していません。

これらの問題を解決するには、１９８０年代までのアメリカが真面目にイノベーションで産業を開発したように、再分配機能が十分なイノベーション投資に本腰を入れて真面目に取り組む必要があると思います。「アメリカ・ファースト」で中国からの輸入品に関税をかけることが解決策の本質ではありません。再分配機能を十分に有するイノベーション投資によって自国の産業力を更に高め、中国に対して「輸出」することで貿易赤字問題を解決する途があると思います。また、アメリカでは、中国が技術を盗んだという認識が一般的であり、そのような面への対応も重要でしょうが、やはりアメリカ国内において再分

配機能を十分に有するイノベーション投資に力を入れることの重要性はいくら強調しても
し過ぎることはありません。

アメリカ国内において再分配機能をもつイノベーション投資が十分に行われなかったこ
とが、中間層の貧困化を招き、民主主義の弱体化を引き起こしており、これが「民主主
義」対「権威主義」という構図の中で米中対立の一層の激化につながっています。

そして今や、米中対立における脅威認識は、経済から軍事に拡がっています。また、人
権の問題も対立の要因の一つになっています。アメリカがアフガニスタン戦争、イラク戦
争を経て相対的な力を著しく低下させたことにより、アメリカ一極支配が終焉したことも、
米中対立の背景の一部となっています。

米中覇権戦争の中で、アメリカの行動は決して一貫していません。トランプ前大統領は
貿易赤字を減らすためとして、中国のみならず、同盟国にも関税を仕掛けていましたが、
それでは、アメリカは自らその覇権の維持を難しくしてしまうばかりか、民主主義側の結
束を乱すことになりかねません。

トランプ政権の後のバイデン大統領は、同盟国に対しては少しモードを変えました。一

方で、中国に対する反感はアメリカ全土で強く共有されるようになっています。

中国は更に権威主義的に

習近平は国家主席の任期についての制限を撤廃したことにより、絶対的な権力を手に入れ、「新皇帝」とすら呼ばれるに至っています。中国が世界第2位のGDPとなり、国際的に影響力を強めていることもそれを可能にしている背景です。習近平は「中国の夢」というスローガンを掲げ、「皇帝」として中華秩序の再建を目指していると見ることもできるでしょう。

他方、中国も種々の問題を抱えています。近年における経済成長の鈍化は人々の不満に火をつけかねません。貧困な沿岸部と豊かな内陸部との経済格差に加えて、近年は一部の超高所得者の出現による格差の問題も有り、これも人々の不満の温床です。環境汚染あるいは汚職など腐敗のような社会問題も有ります。また、香港での民主化運動や新疆ウイグル・チベット自治区などでの民族自決運動に対して、世界からの強い批判にもかかわらず人権を無視した強権的・弾圧的な対応をしています。

これらを踏まえれば、総じて中国は習近平体制のもとで権威主義的な傾向を更に強めるのではないかと思われます。

中国に対する民主化政策は失敗か

ところで、アメリカによるこれまでの中国に対する民主化政策は失敗したのでしょうか？　ポンペオ国務長官（当時）は２０２０年7月23日の演説で、中国との対立姿勢を強く打ち出しました。ポンペオ国務長官は、アメリカの歴代政権が続けてきた、一定の関係を保ちながら経済発展を支援し、ひいては中国の民主化を促す「関与政策」を「失敗」と断じました。「自由世界が中国共産党を変えなければ、彼らは我々を変えるだろう」と言い、さらに「中国について同じ考えの国々が新しい民主主義の同盟を形成すべき時が来ている」とも述べました。背景には、中国による南シナ海への進出など、アメリカとしてはことごとくウソをつかれたという認識、更に、中国の軍事的な脅威が看過できない状況にまで大きくなったという認識が有ります。

バイデン政権においても、表現の強弱の差こそありますが、「関与政策」は失敗したとの見方は引き継がれています。しかし、2023年1月、私は日米議員連盟会長の中曽根弘文参議院議員等と共にワシントンD.C.を訪問し、国務省においてシャーマン国務副長官（当時）を訪ねて意見交換したところ、同副長官はバイデン政権の対中スタンスとして、「対決（confrontation）」は望んでおらず、「競争（competition）」であるとの表現をしていましたので、アメリカとして、中国共産党との全面対決を決定したわけではないように思います。

2023年6月、アメリカのブリンケン国務長官は中国を訪れ、習近平国家主席や王毅共産党政治局員兼外相、秦剛国務委員兼外相と会談し、記者会見において、競争が衝突に至らないように、意思疎通のチャネルを通じて、米中間の競争を管理する重要性を強調しました。最悪の事態に至らぬように予防措置として訪中したのだと思います。コミュニケーション・ギャップを防止し、即ち、対話の不足により不測の事態、つまり武力衝突あるいは戦争に至らぬようにとの意図でしょう。しかし雪解けとは程遠く、米中間の距離は大きく隔たったままのように見受けられます。

アメリカは戦後、グローバルな民主化支援戦略を進めてきました。世界の国々の民主化を支援し、民主主義国家にすることにより、世界を平和と繁栄に導こうという考え方です。民主主義体制は戦争を好まず、民主主義の国どうしでは戦争は起こらないからです。

中国についても、これまでアメリカが約50年間にわたって「関与政策」を進めてきたのは、膨大な人口の中国市場をアメリカの資本主義経済圏に包摂しようとする目論見とともにアメリカとしては、中国が経済的に発展すれば共産主義的統治ではなく、民主主義的な国になるだろうと期待したわけです。そして、当時の鄧小平主席に金と技術を与えて中国を「世界の工場」としたのです。そして中国をＷＴＯにも入れました。その結果、中国は経済を飛躍的に発展させ、２０１０年にはＧＤＰで日本を抜いて世界2位になり、その勢いで「一帯一路」を進めるに至っています。

経済が豊かになれば民主主義的な国になるであろうとの期待ゆえに、中国がこれまでの国際貿易のルールを破ってやりたい放題のことをやっても大目に見てきました。例えば、中国は外資との合弁企業にはその技術のソースコードや製品技術を開示することを強要して、その技術を吸収し、合弁企業にビジネスをさせるが、いつの間にかその合弁会社の製品とそっくりの製品が中国の会社でつくられるようになり、しかも大変安く売られるようになる。そのためにその合弁企業は商品が売れなくなり、最終的には技術も設備も金も残して中国から撤退せざるを得なくなる。こうした事例が頻繁に起こったにもかかわらず、西側諸国や日本は中国の膨大な市場という魅力に引かれ、そのうち中国は民主主義の国になり、ルールを守る国になるであろうと期待して、このような中国の行動に目をつぶってきたのが現実です。

しかしながら、今日の中国は期待されたような国家にはなっていません。人権の弾圧などの話も絶えることがなく、中国は民主的な「法治国家」とは見られていません。また、「資本の自由化」も「為替の自由化」もするつもりがないように見えます。共産主義体制が崩壊しかねないとの懸念からかもしれません。これらが、中国に対する民主化政策はうまくいってないという議論の一例ですが、果たして中国の共産主義は今後もずっと変わらないのでしょうか?

鄧小平の隠された決意

鄧小平は、「韜光養晦（とうこうようかい）」（才能を隠して、内に力を蓄える）の方針に基づき、目立たないように経済発展を進めました。今から振り返れば、鄧小平は政治体制としての共産主義は変えないという決意を持っていたのかもしれません。

現在、中国は、共産主義は変えないまま、経済的には資本主義の路線を進んでいます。その意味で、現在の中国は「赤い資本主義」路線を進んでいると言えます。

中国は、経済成長のために資本主義は不可欠であるが、民主主義は必ずしも不可欠ではないというモデル的な存在になってしまっています。中国の権威主義的な国家モデルの方が、民主主義的な国家モデルよりも意思決定が迅速であり、経済発展にとってもベターであるとの認識が案外広く共有されており、それが「民主主義」対「権威主義」の闘争の背景の一つとなっていると言えます。

西側諸国の私たちのこれまでの感覚では、資本主義と民主主義は不可分のように捉えていました。だから中国の場合も、資本主義になれば民主主義的になるだろうと期待したわけですが、中国の「赤い資本主義」は、民主主義でなくても資本主義が成り立つことの見本になってしまっており、中国には期待を裏切られた形です。老練な鄧小平の「韜光養晦」にアメリカも日本も気づかなかったのでしょうか?

中国の産業戦略と通貨戦略

２０１５年５月に国家主席の習近平は、中国の産業政策として「中国製造２０２５」を発表しました。これは次世代情報技術や新エネルギー車など10の重点分野と23の品目を設定し、製造業の高度化を目指し、建国百年を迎える２０４９年に「世界の製造強国」の先頭グループ入りを目指す長期戦略です。

その背景には、中国は「世界の工場」として下請け的な仕事で伸び、外貨を稼いできたが、中国の製品は基本的には外国技術の模倣であり、外国の基幹部品や基本素材を使用して国内の安い賃金で組み立てたもので、付加価値も低く、中国の経済力強化にはつながっていないとの認識が有ります。例えば、中国は世界のスマートフォンの60％を製造していますが、その中身のキー・コンポーネント（重要な部品）は日本やアメリカのものを使用し、中国の付加価値は極めて低いままです。習近平はこのことをよく理解しており、これからは自分で基礎研究・開発をし、イノベーションを自力で進め、コア技術は他国に頼らず自分で新しい産業を興し、中国を発展させようと檄を飛ばしたようです。

この「中国製造２０２５」において、中国は２０４９年には世界のトップになると宣言したことも、アメリカを相当刺激したでしょう。

中国は、また、アメリカの覇権に挑戦するため、新しい通貨システムをつくろうとしているようにも見受けられます。２０１６年10月、国際通貨基金（ＩＭＦ）は、中国の人民元（ＲＭＢ）を、米ドル、ユーロ、日本円、スターリング・ポンドに加えて、特別引出権（ＳＤＲ）通貨バスケットに採用しました。ただ現時点では中国の人民元はまだ国際通貨になっているとは言えません。人民元は国際決済に占める割合は僅か2％で、米ドルは40％を超えています。

さらに注目すべき点は、中国政府が「デジタル人民元」を発行しようとしていることです。デジタル人民元は、ビットコインとは違い、国家が発行するものであり、中国はこれにより、「ドルのくびき」から解放されるとともに、一帯一路のようなプロジェクトに自由に投資できる通貨を手中に収めようと狙っているように見えます。

中国はアメリカの「虎の尾」を踏んでしまったのか

中国は、鄧小平が1978年に打ち立てた「改革開放政策」で先進国の資本と技術を呼び込み、「世界の工場」として急速に経済を拡大してきました。2010年には中国はGDPで日本を追い越し、世界第2位の大国になりました。先に述べたように、鄧小平は「韜光養晦」という「才能を隠して、内に力を蓄える」戦略で、表向きはアメリカに対抗しない方針を出して、うまく経済発展を進めてきました。

しかし、習近平は鄧小平の教えとは異なるスタイルを取り、「中華民族の偉大なる復興」を掲げてナショナリズムに訴え、「中国製造2025」を発表し、アメリカを先端技術でも追い越し、「かつての中華帝国の座を取り戻す」と宣言しました。これらに加えて通貨の面でもアメリカの覇権に挑戦するのみならず、更には軍事面においてもアメリカの覇権を脅かすような軍備増強を推し進めて危機感を抱かせており、アメリカの「虎の尾」を踏んでしまった感があります。

ただ、少し長い歴史のスパンで見ると、地政学的に「シーパワー（海洋国家）」であるアメリカは、特に太平洋地域で、新興国家の台頭を強く警戒してきました。

20世紀初頭、ロシアが南下政策で朝鮮半島に出てきた時、アメリカは日本がロシアを叩けるよう日露戦争でサポートし、講和会議をアメリカのニューハンプシャー州のポーツマスで開催しました。

その後、日本が出てきた時は、アメリカは直接対決において最後は原爆を落として徹底的に叩き、戦後はマッカーサーを配して占領下日本にアメリカ型の民主主義を根付かせ、日米安保条約という形で同盟国とし、日本がアメリカと戦争をしないように確保しました。

更に、第二次世界大戦後、ソ連の進出により米ソ冷戦となった際には、「チャイナ・カード」を切り、中国を助けてソ連に対抗させ、ソ連崩壊にまで導きました。

そして今、経済的にも軍事的にも大きくなった中国との間で、「新冷戦」とも呼ばれる米中覇権戦争が繰り広げられるに至っているわけです。

　この米中間の新冷戦は、「民主主義」対「権威主義」の闘争であることから、中国が政治的民主化に進めば解決するとのロジックもあり得ますが、アメリカが太平洋地域において出てくる強い新興国を叩く癖が有るとの見方からすれば、中国がアメリカの覇権の座を奪い取ろうとする限り、政治的民主化云々を問わず続くのではないかという見方もあり得ます。

米中デカップリング

　米中間の関税報復合戦、ファーウェイ締め出し等々で米中対立が進む中、2019年末に中国の武漢で発生した新型コロナウイルスが米中デカップリング（分断）をさらに加速させました。

　新型コロナウイルスがアメリカ、イタリア、スペイン、フランス、日本など世界中に飛散し、世界の経済がストップしてしまった中で、中国を中心とした「グローバル・サプライチェーン」の脆弱さが露呈しました。マスクなど医療防護具を含め、世界が中国の「世界の工場」に依存し過ぎていたことが露呈した今、その偏りを修正し、必要分はそれぞれの国内で賄おうとする動きも出ています。

中国共産党はしぶとい存在です。中国はコロナウイルスを封じ込めるために、徹底した都市のロックダウンをして、感染の収束に努めました。こうした疫病を封じ込めるには、情報統制をする権威主義的な共産主義国家の方が民主主義国よりやりやすいのでしょう。またマスク外交など、新型コロナウイルス災害を逆手に取り、形勢の挽回にも動きました。たとえ米中がデカップリングしても、中国は14億人の市場を持っており、その中で新しい生産・市場関係をつくり、経済を維持することができると見なければならないかもしれません。

新しい世界秩序において中国とどう向き合うか

前節において、「パックス・アメリカーナ」の揺らぎの中で、日本は新たな国家戦略について思いを致すべきではないかと述べましたが、実は「世界」についても新たな設計図が必要となっています。中国の台頭を含む現在の世界の流動化の中で、世界は新たな世界秩序を模索しているのです。

しかし、世界が流動化し「パックス・アメリカーナ」が大きく揺らいでいるとしても、「パックス・中国」（中国による世界覇権）にはならないでしょう。最終的には、自由と民主主義のない体制に、人々は魅力を感じないのではないかと思うからです。

ここ当分は、「パックス○○」ではない、米中覇権争いを中心とした状態が続くのでしょう。これからどのような世界秩序になるのか、未だ明確ではありませんが、次の世界秩序までしばらくはカオスの状態が続くと思われます。しかし全くの無秩序状態でもなく、中国やロシアも含めて、例えば気候変動あるいはパンデミック等、人類共通の課題について、案件毎に枠組みを構築していくことは可能であると思いますし、日本はそこで先頭に立って貢献すべきです。

新しい世界秩序を考える際、権威主義体制との対峙、特に中国とどう向き合うかが主要なテーマになります。

日本と中国は、長い付き合いの歴史があり、文化的にも中国から日本に伝来したものも多く、日本は元々、中国の文物に対して強い親近感を抱いています。中国古典について、今の中国の人よりもよく理解しているという自負を持つ日本人も少なくありません。

他方、今の中国が多くの日本人にとって分かりにくい存在であることも事実です。その関係もスパッと割り切れるものではなく、政治、経済、文化、社会等の諸事象が複雑に絡み合っており、政治の分野だけ見ても、領土、ナショナリズム、歴史認識等が絡み合っています。

お互い、率直に思いをやりとりすることが重要だと思いますが、特にこの20年の間に、中国が経済的にも軍事的にも急速に大きくなったことで、日本人の中国観は複雑になり、時に反感が強くなり、中国を脅威ととらえる人が多くなりました。中国がどこまで大きくなるのか、ひょっとしてアメリカと雌雄を決することも辞さぬということなのか、よく分からず、不気味さが脅威感につながっています。

中国が多くの課題を内包していることも確かです。それは格差の問題であり、底流を静かに流れる人民の抵抗の問題であり、究極には「赤い資本主義」の問題、即ち共産主義と資本主義の根本的矛盾をどのように清算するのか、という問題です。その意味で、中国は外見より無敵ではないかもしれません。

資本主義どうしの闘争

民主主義対権威主義の闘争である米中覇権戦争あるいは米中新冷戦は、「市場資本主義」対「国家資本主義」の闘争です。かつての米ソ冷戦が資本主義対共産主義の闘争であったのに対し、現在の米中新冷戦は資本主義どうしの闘争です。

中国の資本主義は国家資本主義であり、現在の中国は、かつてのような純粋な共産主義体制というより、共産党による資本主義体制となっています。即ち、「赤い資本主義」です。

資本主義は本来、民主主義と親和性が高く、資本主義体制で経済が発展すると民主主義的傾向が強くなることが多いとされてきました。そのような観点から、日米両国は中国に経済協力を行ってきました。これは、「関与政策」と呼ばれるもので、その根底には、「隣国を豊かにする政策」（Enrich your neighbors policy）という考え方があったように思います。経済協力を通じて経済発展を助け隣国を豊かにすることにより、その社会の成熟を促す。社会が経済発展により成熟すれば、政治的民主化が進む。民主化が進むと一般的に女性の政治的発言力が強くなり、母親は息子や夫を戦争で失いたくないから、その国は戦争をしにくくなり、平和をより望むようになる、という発想があったからです。

日本の場合も隣国をそれぞれ豊かにすることによって、戦争を起こしにくくするという、このような深謀遠慮の政策をとってきました。日本が経済協力を行ってきた多くの国々にこのことはあてはまります。多くの例において、経済が発展することにより、その国が民主主義的な傾向を強めて成熟し、また、戦争という手段に訴えにくくなったと言えます。中国についてもそれを期待したわけです。

しかし中国は、２０１０年に日本のＧＤＰを追い抜き、世界第2位の経済大国としてある程度豊かになったにもかかわらず、未だ政治的民主化は見えていません。中国はむしろ、民主主義にならなくても経済は成長できることを示す、「国家資本主義」の成功例となってしまった感があります。まさに「赤い資本主義」です。中国は資本主義の考え方を取り入れていますが、民主主義ではありません。

のみならず、近年特に覇権主義的傾向を強めており、日本やアメリカにとって脅威と映り始めています。日本としては援助（ＯＤＡ）をはじめとする経済協力を行い、またＷＴＯへの加盟もサポートしたほか、アジアのみならず世界の秩序に中国を取り込む手助けをしたわけですが、中国は力で力をねじ伏せる覇権主義に走ってしまっているようです。

そしてアメリカは、中国の民主化について諦めの感を強くし、「関与政策」が失敗であったと考えるようになりました。

市場資本主義の限界と民主主義の弱体化

中国をはじめとする権威主義体制の「国家資本主義」グループの対極として、アメリカを中心とする「市場資本主義」グループ、すなわち民主主義体制は、格差の拡大、気候変動への対応、パンデミック対策など、「資本主義の限界」や「資本主義の劣化」といった問題に直面しています。

他方、中国やロシアなどの「国家資本主義」グループ、すなわち権威主義体制は、これらの問題については強力な国家権力を基に対応することができ、場面次第では市場資本主義よりも優れているのではないかと思わせる面もあります。

そして、最近のアメリカ国内政治における分断、中間層の没落、ブラック・ライブズ・マターと呼ばれる人種差別問題の再燃、更には権威主義体制のリーダーを彷彿させるような言動を行う多くの政治家の出現等々で、米国における民主主義の弱体化も指摘されています。2020年の大統領選挙においてトランプ大統領がバイデン候補に敗れた後、2021年1月6日の米国議会へのトランプ支持者の乱入事件は、米国における民主主義が崩壊の瀬戸際に立たされているのではないかとさえ言われたほどでした。

一つの背景として、アメリカ自身のグローバリゼーション戦略により、労賃の安い中国が「世界の工場」となり、アメリカは国内でモノをつくるより外国の商品を買って消費することに走り、一時期アメリカ産業の空洞化現象が見られたことが挙げられます。その間、アメリカは再分配機能が十分なイノベーション投資を真面目に行わなかったことが中間層の貧困化につながっています。中国の「世界の工場」化は世界の賃金を急速に低下させ、その結果、フランスの経済学者トマ・ピケティの主張するとおり、アメリカ国内の所得格差は1981年から急速に悪化してきています。米国内において再分配機能が十分なイノベーション投資を真面目にやらなかったことが格差拡大や中間層の没落を招き、それがアメリカの民主主義の弱体化につながっていったと言えます。

トランプ氏が大統領になったのも、アメリカの労働者層、特に成熟産業において低賃金で職場を失い生活にあえいでいる白人労働者の不満をくみ上げた面が有ります。ところがトランプ氏は、白人労働者の賃金が低く、また職場がないのは中国や日本のせいだとして攻撃しましたが、問題の原因はむしろ米国内においてイノベーション投資をしっかり行ってこなかったことです。

ここから言えることは、民主主義体制の強化のためには、まず、市場資本主義の国々がイノベーション投資を重視し、国内で中間層の仕事を確保しなければならないということです。そして、富の極端な格差を是正し、雇用を多く創出する産業を開発しなければなりません。安い労働力をあてにして海外に工場を移すのではなく、自国でイノベーション投資を真面目に行うのです。

どちらに軍配か

このような状況の中で、「新冷戦」とも表現される今回の体制間の覇権争いは、果たして民主主義か権威主義か、最終的にどちらに軍配が上がるのでしょうか?

ちなみに、前回の冷戦は、軍事行動が終結させたのではありません。共産主義社会の経済が機能不全を起こし、共産主義陣営から見て、資本主義社会の方が人々は幸せそうではないかとの認識が広まったことが決定的要因でした。この意味で前回の冷戦での勝利は、軍事的な勝利ではなく、政治的な勝利でした。

現在の「民主主義」対「権威主義」の体制間の覇権争いにおいても、パワーのみならず、実はどちらのシステムの方が人々を幸せにできるかを競っているのではないかとの視点で考えることが重要です。民主主義体制が最終的に勝利するためには、市場資本主義が健全に機能し、その体制下で人々が本当に幸せであることを示すことが極めて重要です。

しかし、既に述べたとおり、現状では民主主義体制は、格差問題、環境問題、気候温暖化問題等の諸課題への対応に苦労しています。それは、民主主義が国民の投票により成り立つものであり、有権者は将来の長期的目標を説かれてもピンと来ませんが、今の直接的利益には敏感に反応しがちであることも関係しているのでしょう。欧米型の民主主義が他のシステムより優れていると思い込んで傲慢に陥ってはいけないと思います。民主主義は、その依って立つ市場資本主義について、格差問題をはじめとするいくつかの矛盾の根本的解決に努め、「資本主義の限界」や「資本主義の劣化」といった問題を解決するために必死で努力せねばなりません。

ちなみに、中国にも、環境汚染、政治腐敗、格差、民族問題、更には高齢化問題などが存在しており、中国の場合は「権威主義的な解決」を模索しています。

権威主義に対する民主主義の最大の長所は、人間の精神性、内面性を尊重し得る点でしょう。確かに、社会がうまく機能するためには、まずは物質的な豊かさが確保されることが重要でしょうし、物質的な豊かさがあれば、他の矛盾は問われない傾向があるとは思います。物質的な豊かさがあれば、その社会が民主主義的な政治体制かどうかは気にならず二の次になるように思えます。人権云々よりも日々の生活なのです。経済さえうまくいっていれば、非民主主義的で権威主義的な政治体制も受け容れられることがあるということです。そして逆に、経済がうまくいかなければ、民主主義も苦しくなります。

しかし、経済的な豊かさだけでは人は必ずしも幸せになりません。社会が成熟するにつれ、人間の精神性、内面性が尊重されることへの欲求が強まり、人々が真に幸せと感じるかどうかが問われることになるでしょう。このような人間の本能的な傾向からすると、最終的には、自由と民主主義に分が有るでしょう。

現在の「民主主義」対「権威主義」の体制の闘いの文脈の中で、権威主義体制の側から見て、我々の民主主義体制の方が人々が幸せそうに暮らしていると思われるかどうかが勝敗の帰趨を決するでしょう。前の冷戦はそのように勝ちました。その意味で、今、政治家の果たす役割は極めて大きいと思います。

中国の民主化は不可能か

なぜ世界は中国の強大化を不気味に感じ、脅威と感じるのでしょうか。端的に言えば、それは中国が民主主義ではなく、権威主義であるからです。そして、これまでの「関与政策」では中国は民主化に至らないだろうとの議論が強くなっています。しかし、本当に中国の民主化は今後も不可能なのでしょうか?

四つの視点から見てみましょう。

一つ目の視点は、一般的に一人当たり所得が1万5000ドルを超えると民主化傾向が強まると言われており、現在、中国の一人当たり所得が約1万2000ドルであるという点です。国家資本主義の方が経済成長をしやすいということで、これまで急成長を遂げてきた共産党統治下の中国は、現在の体制をしばらく続けるかもしれませんが、更に経済が伸び、一人当たりの所得が増えていくと、中国の人々の欲求は高まり、民主的傾向が高まるのではないかとの見方が有ります。確かに、中間層は中国国内で静かに育っています。長期的な視点に立てば、中国がより豊かになれば、国民が政治的な自由及び民主主義を求める段階が来るかもしれないということは、一つの議論として有り得ると思います。

二つ目の視点は、共産主義と資本主義とは本来相容れないものであるという点です。中国は、格差という大問題に対処するにあたり、毛沢東時代のような、皆平等ではあるが共に貧しい原理主義的な共産主義に戻るのか、多くの人は貧しいが一部の人々は大変リッチになる「赤い資本主義」になるのか、その選択を迫られ、後者の赤い資本主義を選択したと言えます。

しかし、共産主義と資本主義は本質的に相容れない根本的な矛盾を内包しており、「赤い資本主義」は、資本主義である限り、いずれ「共産党」とどう向き合い清算するのかという爆弾をはらんでいないと言い切れるでしょうか。経済成長が続き、生活が良くなっている間は共産党の正統性は保てますが、それが永久に続くとは言い切れないかもしれません。ちなみに最近の中国経済は、不動産バブルの崩壊で遂に成長の神話は終わったのかとの見方さえ出てきました。注意が必要です。

三つ目の視点としては、戦後の「資本主義」対「共産主義」の冷戦は、資本主義の勝利で終わったわけですが、ソ連の共産党は１９１２年に結党し、79年続いた後に、１９９１年に解散したということをもって、共産主義社会の寿命は80年ぐらいではないかとの見方です。

中国の場合は、１９２１年に共産党が設立されたので、２０２１年で１００周年を迎えました。中国は、1980年代からのアメリカの「関与政策」により、アメリカから技術と資本をもらって経済を資本主義化（赤い資本主義）し、力をつけてきたため、中国共産主義社会は80年よりも長く続くということかもしれません。中華人民共和国の成立した1949年を起点に考え、これに80年を足すと2029年となり、まもなくとなってしまいます。果たしてどうなるか？

これまで中国の共産党一党支配を支えてきたのは、経済成長でした。そして、その経済成長を支えてきたのは、安価な労働力と外からの資本と技術の導入でした。しかし近年、中国における労働コストは急上昇し、米中対立の中で米国による経済締め付けにより資本及び技術の導入も難しくなりつつあり、これまでのような経済の急成長は困難になっていることから、国民の不満を経済で解消できなくなりつつあるのではないかとも思われます。加えて、格差や少子高齢化の加速等々、難問を抱えるに至っており、体制に対して批判の芽が出て来つつあるかもしれません。習近平政権も最近は国内で様々な葛藤が有るように見受けられます。

四つ目の視点は、中国四千年の歴史は、政治に対する人民の不満がたまると為政者の支配が天意に背くものであるとして「天誅」が下される、即ち「革命」の繰り返しであったという点です。したがって為政者は人民の反抗が怖いのであり、習近平主席もこの中国四千年の歴史を熟知していることから、人民の不満に敏感です。そのためか、監視カメラで人民を監視したり、言論統制を行っています。香港についても国家安全維持法の制定等、過敏な反応をしてしまったのかもしれません。香港のデモが中国共産党に向けられたものだったからでしょう。

元々、中国は多民族国家であり、長い歴史の中で、中国の人民は国家や為政者を信じていないとよく言われています。

これまで先進資本主義諸国が、中国が経済的に発展し豊かになると民主的傾向を強めるだろうと期待し、援助や投資を行い、中国の少々勝手な振る舞いにも目をつむってきた結果、中国は驚異的な発展を遂げ、世界第2位の経済大国になりました。中国の大衆の生活も良くなり、貧困から抜け出す人も多くいました。そういう中では人民の為政者に対する不満は経済の発展の中でかき消されていたでしょう。しかし今では、中国の国内でも格差の問題が大きくなりつつあるし、環境問題など、経済の発展に伴う様々な矛盾が出てきています。加えて、最近では賃金も上昇し、安いコストによる「世界の工場」の地位が減退し、工場が中国から外に移り始め、経済は減速してきています。アメリカとの対立がこれに拍車をかけています。もし経済が後退すれば、為政者に対する中国の民衆の不満が激化し、中国四千年の歴史が繰り返されることになるのでしょうか。

中国的民主主義としての孫文の「三民主義」

以上も踏まえつつ、私は中国の民主化が絶対不可能とは断定できないように思います。ちなみに、孫文の「三民主義」(民族・民生・民権の尊重)は、中国的民主主義と呼べるものではないかと思います。孫文が多民族と広大な国土を一つの国としてまとめる思想として唱えた「三民主義」は、民主主義の要素を十分に含んでいると思います。

その後、毛沢東の共産主義が中国を支配するようになりましたが、中国は孫文も大切にしており、孫文の「三民主義」のＤＮＡが残っていると期待するのは間違いでしょうか。

先に述べた「アメリカン・シーザー」メンタリティーとも呼ぶべきアメリカ外交のパタ

ーンは、世界をアメリカ流の民主主義で染め上げてしまおうという発想であり、アメリカの「関与政策」にもその要素が有ったと言えるでしょう。そしてアメリカは、中国の民主化がうまくいっていないという意味で「関与政策」は失敗したと言います。しかし元々、中国との向き合い方を考える際には、「アメリカン・シーザー」的発想は西洋の覇道的発想であり、それゆえにアメリカ流の関与政策はうまくいかないのかもしれません。

中国と向き合う際には、東洋の王道的発想の方が良いと思います。この点で思い起こされるのは、吉田茂の「赤くなっても黒くなっても、中国は中国だ」という言葉です。1951年12月に来日したダレスは吉田茂に対して、中国が共産党支配下となったのだから、日本は北京との関係を断ち、台北と結ぶべきだと言いましたが、70歳の吉田は50歳のダレスに向かって、「自分は外交官として中国勤務の経験もあり、中国のことはよく分かっている。赤くなっても黒くなっても、中国は中国だ」と喝破したという逸話があります。吉田は、日本は米中の橋渡し役になれるともダレスに言いました。

これに対してダレスは吉田に、自分はアメリカの上院で対日平和条約と日米安保条約の批准をすべく奔走しているが、もしあなたが北京に固執するなら、それらの批准の作業から手を引くので、日本は占領下に戻ればよい、と脅しました。それで吉田茂は不承不承、北京ではなく台北と結ぶことになりました。しかし、20年後には、日本の頭越しにニクソン大統領が中国に飛び、毛沢東主席と握手することになります。つまり、吉田茂の見方が正しかったということです。これが今も、中国を見る際の重要な視点の一つであるといえるでしょう。

吉田流の、「赤くなっても黒くなっても、中国は中国だ」というとらえ方は、東洋の王道的発想であり、中国と向き合う際の基本としてよいのではないかと考えます。

中国の民主化については、否定的に結論づけることはまだ早いように思います。ポンペオ国務長官（当時）のように関与政策は間違っていたと断定し宣言するのはまだ早いのではないでしょうか。アメリカのバイデン政権が、中国のレジームを変えるつもりはない、即ち民主化しようとは思わないと公言している意味の一つは、「対決」モードが煽られ、無用の武力衝突を誘発されることがないように、との配慮も含まれているように思います。孫文の三民主義のような中国的民主主義の可能性も含めて、もう少し長期的な視点でとらえてよいのではないかと思います。

台湾侵攻の高過ぎる代価

米中対立の文脈の中で、中国との向き合い方に関わるポイントの一つとして、中国が台湾に軍事侵攻をするのではないかという点も真剣に向き合う必要が有り、我々はこの問題を楽観視すべきではありません。

中国側は、アメリカはじめ我々の対応を甘く見るべきではないでしょう。中国は、ロシアがウクライナに侵攻し、西側諸国から厳しい経済制裁を受けている状況を注視しています。そもそも中国が強い経済を保てるのは、資本主義を土台とする世界経済に組み込まれて初めて成り立つことであり、経済制裁によって世界経済から遮断されれば大きなダメージを受け、元も子もなくなることは中国自身が一番よく分かっているはずです。

我々としては、それでも中国がプーチンのような計算間違いをしないように、万が一、台湾侵攻があった場合の日本への影響も含めて備えを万全にし、しっかり守りを固めることが肝要であり、その意味で、岸田政権が２０２２年末に安保三文書を改訂して防衛力強化を図っていることは的確な政策判断だと思います。

日中間のコミュニケーション・ギャップを防止

日本として、今後中国と向き合う際の最大の懸案事項の一つは「尖閣諸島問題」です。2012年の尖閣諸島の国有化を巡る経過については、当時の関係者の中にはまだ現役の人たちもいるので、後日あらためて詳細をつぶさに記すこととしたいと思いますが、あの時は、日中関係が「崖っぷち」と言えるほど、危機的な状況に追い込まれたと思います。何とか武力衝突に至らずに済んだのがせめてもの救いでした。

現在はあの当時に比べ、武力衝突の切迫性の度合は若干落ち着いているとは思いますが、米中対立の激化が加わり、中国との関係は一層複雑になっています。最近、我が国の雑誌などにおいて、勇ましい物騒な論調も見かけますが、まずは日中間において戦争の悲劇は防がなければならないと強く思います。その際に重要なことは、日中間に「コミュニケーション・ギャップ」（意思疎通の食い違い）を生じさせないことです。

その点で懸念するのは、今や中国海警局（中国の沿岸警備隊）が国家海洋局から中央軍事委員会の指揮下に入ったのみならず、さらに2021年の2月には海警法が制定されて、海警局の船による武器使用が認められ、海警局と海軍との境目が限りなくゼロに近くなっていることです。この点も含めて、尖閣を巡る事態は極めて深刻化しており、それゆえにこそ外交官による問題処理を大前提とし、絶対に「軍人の仕事（＝戦争）」にはしないとの覚悟を日中双方が共有しなければならないと思います。そして、日中間で「コミュニケーション・ギャップ」が生じないように、「対話」を尽くすことの重要性はいくら強調してもし過ぎることはありません。

「コミュニケーション・ギャップ」の防止を私が特に重視するのは、それが原因で戦争に至った「真珠湾攻撃」の歴史的経験を我々が有しているからです。1941年に日本とアメリカが「真珠湾攻撃」を機に太平洋戦争に至るまでの大きな原因の一つとして、当時の日米間の「コミュニケーション・ギャップ」の存在が指摘されることがあります。太平洋戦争に至る前、アメリカの議会では、中国に進出している日本に対して、「日本には確固たる立場で当たれば、日本はひき下がる（If we stand firm, Japan will back down.）」との論調が主流でした。それが対日石油禁輸、あるいは日本の在米資産凍結等に結びつきました。このような日本に対する経済制裁を、アメリカは、イギリス、中国、オランダと協調して行ったので、日本側は、それぞれの国の頭文字をとって、「ＡＢＣＤ包囲網」と呼びました。それで日本はひき下がったかというと、そうはならず、ＡＢＣＤ包囲網の打破を目的として掲げ、真珠湾攻撃に打って出たわけです。アメリカとしては日本がまさか真珠湾攻撃に打って出るとは予想もせず、また、日本としてはアメリカがまさか石油まで止めてくるとは予想せず、お互いのコミュニケーションが機能していなかったわけです。日米間の「コミュニケーション・ギャップ」の存在が太平洋戦争に至る大きな原因の一つであったと言えます。これは歴史の極めて重要な教訓です。

そして、アメリカでは、日本についての理解が不足していたこともコミュニケーション・ギャップを通じて戦争の原因になったのではないかとの反省もあり、ルース・ベネディクトの「菊と刀」の執筆に至ったと言われます。

この歴史的な教訓を踏まえ、中国との間で「コミュニケーション・ギャップ」が生じないように、対話を尽くすようにし、何か問題が生じたとしても「外交官」による対処に徹するべきであり、決して「軍人」の仕事にしないようにせねばなりません。

靖国神社について

中国との関係では、靖国神社のこともあります。この問題については、アメリカも強い関心を持っていますし、韓国からも意見が表明されることがあります。この問題は、いわゆる東京裁判（極東国際軍事裁判）をどうとらえるか等の複雑な要素も絡んでいますが、一つのアプローチとして、靖国神社が元々「戦場で戦死」した人の魂を祀るための神社であるという点に着目して、その原則の上に立って考え方を整理する、というのは如何でしょうか。

一例を挙げると、明治天皇が崩御された際に自宅において夫婦で自害した乃木希典大将は、戦場で戦死したわけではないので、靖国神社には祀られていません。別に神社をつくって祀っています。東京・赤坂の乃木神社です。また、日本海海戦の英雄である東郷平八郎元帥も、戦場で戦死したのではなく、膀胱ガンで亡くなったので、別に神社をつくって祀っています。東京・原宿の東郷神社です。

議論となっている一番のポイントは、A級戦犯ということで処刑された人たちが合祀されているケースについてです。この問題については、その時々の靖国神社の宮司の考え方が決定的な影響力を有しているように見えます。

1946年から32年間宮司を務めた筑波藤麿は、旧皇族であり、A級戦犯合祀を極力先延ばしにしようとしたと言われます。しかし1978年3月に筑波が急逝し、後任として宮司に就任した松平永芳は、イデオロギー的に東京裁判否定論を信奉したと言われており、1978年10月、A級戦犯を秘密裏に合祀しました。この経緯からすると、A級戦犯の合祀には、東京裁判に関する政治的な見方の問題が絡んでいるように見えます。1978年の合祀は翌1979年に至って新聞報道されました。それ以降、天皇陛下は靖国神社に参拝されておられません。

A級戦犯合祀の問題については、アメリカが実は相当強い意見を持っています。アメリカの観点は、東京裁判の結果を受け入れないのであれば、それを前提として成り立つサンフランシスコ講和条約、その後の日本の国際連合加盟など、日本の国際社会への復帰を巡る戦後の組み立ては全部ひっくり返ってしまうという論理で、東京裁判の結果を否定する考え方を「修正主義」と呼び、非常に警戒しています。

東京裁判について、判決が正しかったかどうかの議論にさかのぼることは、昭和天皇への戦争責任の議論にもつながりかねません。A級戦犯の一人にされてしまった外交官出身の広田弘毅は、自分が責任を取らなければ天皇陛下へ戦争責任が及びかねないとして、自らの命を差し出し、天皇責任論への幕引きをはかったのではないかと思います。

ちなみに、広田弘毅は吉田茂と外務省の同期入省です。戦前、広田弘毅が陽の当たる坂道を歩き総理にまで登りつめたのと対照的に、吉田茂は中国でいわばドサ回りをしていたし、最後は英米との連携を説いて憲兵隊に捕まり、牢屋にまで入れられました。しかし戦後これが幸いします。人間の運命は、何が良くて何が悪いのか、本当に分からないものです。まさに「禍福はあざなえる縄の如し」です。憲兵隊にとっちめられた吉田茂でしたが、それが戦後はGHQによって「自由主義者」と見なされることになり、鳩山一郎の追放によって思いがけず総理になりました。

他方、広田弘毅はA級戦犯となって刑場の露と消えてしまいます。GHQは文官として近衛文麿を当初はターゲットにしたようですが、近衛が自決した後は、不幸にも広田がターゲットとなってしまいました。広田弘毅の心情は如何なるものであったろうかと察します。外交官出身の政治家として、広田弘毅は軍部による戦線拡大に反対しましたが、当時の軍部の勢いはそれをものともしなかったでしょう。広田弘毅にしてみれば、戦線拡大を止めようと努めたのに、皮肉にも、戦線拡大を止められなかった「責任」を取らされる格好で極東国際軍事裁判にかけられてしまったということです。その意味で広田をA級戦犯と呼ぶこと自体、私には抵抗が有ります。

城山三郎の名著「落日燃ゆ」によれば、広田弘毅は極東国際軍事裁判にかけられても一言も弁解がましいことは言わなかったといいます。さぞや割り切れない気持ちもあったのではないかと思いますが、広田の心中を察するに、天皇陛下に対して戦争責任の議論が及ばないように、首相だった自らの命を差し出したのではないでしょうか。その意味で、極東国際軍事裁判の判決について今またその当否を蒸し返す議論は、あの世に行ってしまった広田弘毅をして、何のために自分が命を差し出したのか分からなくなるから控えてほしいとの思いにさせてしまうのではないでしょうか。

このような観点から、私は歴史の修正主義とは距離を置いています。東京裁判の否定という、歴史の修正主義を突きつめれば、昭和天皇の戦争責任が問われることになりかねません。また、戦後、東京で処刑されたＡ級戦犯の人たちについて、「戦場で戦死」したと言い切るのは無理があると思います。

他方、私は祀るなと言うのではありません。乃木大将や東郷元帥と同じように、別に神社をつくって祀るというやり方で、その神社は「平和神社」なり「昭和神社」なりと命名しては如何でしょうか？　そうすれば、天皇陛下が靖国神社参拝を再開される可能性も出てくるのではないでしょうか。

アメリカからは、靖国神社の敷地内にある「遊就館」についても、懸念が示されることがあります。特に、戦争全体の歴史観に関する記述についてです。しかし、アメリカとしては、英霊による遺書など個人に関わるものまで懸念を示しているわけではなく、戦争全体の歴史観について主観的に決めつけたように解釈し得る部分が気になるようです。ならば、遊就館から戦争全体の歴史観に関するものは切り離し、太平洋戦争の客観的記録を後世に伝えるための資料を展示する博物館として、戦争に至る当時の日本の論理を客観的に紹介する、あるいは、戦地で実際に起きたことを客観的に示す等であれば、「遊就館」についてのアメリカの懸念は手当てされるでしょう。そこでは、広島・長崎への原爆投下の悲惨な事実も客観的に示してもよいでしょう。

第四節　自ら平和をつくる「ピースメーカー」路線へ

「パックス・アメリカーナ」が揺らぎ、米中対立もあり世界秩序が混沌とする中、日本はどのような国家戦略を描くべきでしょうか?

米ソ冷戦の頃のアメリカは内向きではなく、世界秩序を築く気概にあふれ、それが「パックス・アメリカーナ」として結実しました。それに対して現在のアメリカは、アフガンとイラクの戦争を経て、国内に格差と分断の苦悩を抱え、内向き傾向を強めてしまっています。

戦後の日本は、アメリカに安全保障を託し、日本は経済に集中するという「吉田路線」を堅持し、それは大成功であったと言えますが、ある意味、日本が自身の安全をどう確保するかに限定された「一国主義」であり、自らが平和をつくるという視点に欠けていました。また、アメリカに守ってもらうという受け身の思考回路であったがゆえに、日本にとって平和は「与えられる」ものだという感覚が根付いてしまい、戦略を自ら考えるという発想から遠ざかってしまったのかもしれません。

しかし、アメリカが内向きの傾向を強めた今、日本は意識的に戦略的マインドを持たなければならないのではないでしょうか。どのような世界であるべきか、どのような世界をつくりたいのか、というビジョンを自ら描き実行する中で自らの平和と繁栄を確保せんとする戦略的発想が必要になっています。私は、日本が自ら平和をつくる「ピースメーカー」になるという発想を提案したいと思います。

「ピースメーカー」という語は、新約聖書のマタイによる福音書の第5章の第9節において「平和をつくる人たちは、幸いである」というイエス・キリストの言葉として出てきます。平和は「つくる」ものなのです。

覇道の西洋から王道の東洋へ

日本が「ピース・メーカー」たらんとする時の道しるべは、東洋の哲学かもしれません。私は特に孫文の「王道」という発想に注目しています。

孫文は、日露戦争後の１９２４年に兵庫県神戸市で講演を行い、「東洋の文化は王道であり、西洋の文化は覇道である。王道は仁義・道徳を主張し、覇道は力を主張する。貴方がた日本民族は既に一面欧米の覇道の文化を取入れたが、他面アジアの王道文化の本質をも持っている。今後日本が世界文化の前途に対し、西洋覇道をとるか、東洋王道をとるか、日本国民の慎重に考慮すべきことである」と述べました。孫文は、アジアらしい、東洋らしい哲学として、力で力をねじ伏せる覇道ではなく、天意に従い仁義・道徳を尊重する王道を大事にしようと呼びかけたのです。

その後、日本は王道ではなく覇道を選び、敗戦を迎えました。今から思えば、孫文の言葉は重かったと言えます。

今、世界は中国の覇権的行動を警戒しています。南シナ海における行動、軍備の増大、あるいは「一帯一路」などです。私は、1924年に孫文が神戸で日本に向かって「覇道ではなく、王道で」と呼びかけたように、今度は日本が中国に向かって、共に王道で行こうと呼びかけています。ただ、中国の高官と対話をする際、こちらから「覇道ではなく、王道で行きましょう。しかし、最近の中国は覇道に傾いているのではないか？」と言うと、決まり文句のように「中国は覇権主義に反対だ」という応答が返ってきて、糠に釘です。

しかし、中国の中には、孫文のいう王道の発想に内心共鳴する人も少なくはありません。現在のカオスの中で、日本にとって道しるべの一つとなるのは、「王道」の考え方ではないでしょうか。それは違いを受け容れられる東洋らしい哲学であり、これからのアジア・太平洋の秩序を考える際の道しるべとなり得るでしょう。

そのように私が考える背景として、先に触れた、トインビーの言葉があります。歴史家トインビーは、世界の中心はいずれ西洋から東洋に、大西洋から太平洋に移ると予言しました。トインビーが言いたかったのは、覇道の西洋から、王道の東洋へ、世界の重心が変わる、ということだったのではないでしょうか。ただし、「中国へ」とは言っておらず、中国が覇道から脱却できないのであれば、中国に世界の重心が移ることはないということでしょうか。

日本の可能性

20世紀は西洋型資本主義の時代でした。欧米は力や金で強いものが勝つという論理で邁進し、そのために強大な軍隊を整え経済成長に没頭しました。西洋型資本主義は、物質主義（儲かればいい）、利那主義（今さえよければいい）、利己主義（自分さえよければいい）という考え方に支配されていました。しかしそれでは人間は幸せになれるとは限らず、そのような西洋型の資本主義には限界が来ているように見えます。その意味で、トインビーが予言したという東洋の時代が来つつあるという感じもします。ただし、それは東洋が西洋に取って代わるということではなく、太平洋が大西洋に取って代わることでもないでしょう。

東洋と西洋、アメリカと中国、太平洋と大西洋、これらが「共存する道を探る」という発想の方が、東洋流の言い方をすれば、「天意」に沿うのだろうと思います。覇道の見方ではなく王道の見方です。どちらが正しいのではなく、どちらも正しいという見方が、これから先導的役割を果たす国にとって重要だろうと思います。

この点、日本には違いを受け容れ調和を重んじる精神性が備わっています。違いを受け容れ、新たなものを生み出していくというのは日本のやり方、生き方に合っています。それが21世紀に必要な資質だと考えます。全体が流動化する中で、政治、経済等万般にわたって世界は新たなシステムつくりを模索しています。その中で日本が果たし得る役割は大きいという予感がします。武力や財力ではなく、思想、哲学、理念をもって日本が世界を導かんとする発想が大事です。「ピースメーカー」という王道の心です。

平和力（「善き戦争などなかったし、悪しき平和もなかった」）

リアリストとして現実を的確に受け止めつつ、世界の大調和を求める「王道」の道を進んでこそ、21世紀の日本の使命が果たされるのであり、そのような境地に立つ時、これから日本が世界に貢献しようとする際に重要な発想として、「平和力」という考え方を提案したいと思います。

アメリカの独立宣言の起草者の一人、ベンジャミン・フランクリンは、「善き戦争などなかったし、悪しき平和もなかった」(There never was a good war, or a bad peace.) と言いました。私はこの言葉に強烈に惹かれます。本質をついていると思います。日本はこれから、このような感覚で、新たな世界秩序つくりのアーキテクト（建築者）にならんと志すべきです。

太平洋戦争前に、「アメリカはけしからん、やってしまえ！」と威勢よく叫んでいた人が多くいたと言われます。それが当時の「空気」だったのでしょう。しかし、それが賢明でなかったことは、歴史が示しています。昨今、ナショナリスティックな声が大きくなりつつある中で、威勢よく「やってしまえ！」と叫びかねない人がいるやもしれませんが、誤りを繰り返してはなりません。ここは外交官が踏ん張らなければなりません。外交官で処理できなければ、軍人の仕事になってしまうからです。

「善き戦争などなかったし、悪しき平和もなかった」のだから、日本は「平和力」で役割を果たすべきです。

「軍事戦略」と共に「平和戦略」

世界が流動化し、アメリカの力が相対的に低下している中で、日本としては防衛力において自力で国を守れるだけの自立的要素を整えていく必要もあるでしょう。しかし、抑止力だけでは平和はつくれません。軍事戦略だけではなく、あるいはそれ以上に「平和戦略」が重要だと思っています。

平和をつくる平和戦略のキーワードは、「つなぐ」ことだと思います。第一歩として、アジア・太平洋地域において経済連携のネットワークを構築し、諸国をつないでいくことが、平和戦略の柱です。

日本とアメリカは約80年前に戦争をし、日本に原爆が落とされるほど熾烈な戦いをしましたが、今や日本とアメリカが戦争になる可能性について言及する人はいません。それはアメリカが強いからだけではなく、日米両国の間に「切っても切れない縁」が出来上がり、「つながっている」からです。日本が民主主義国家として進化したことを基本として、その後、日米両国は政治的、経済的、社会的、文化的に密接不可分となっており、このつながりゆえに、日米間の平和と繁栄があります。

今後の日本の国家戦略の指針の一つは、このような「切っても切れない縁」のネットワークを築き上げ、世界を「つなぐ」ことだと思います。

第二次世界大戦に至る要因の一つが保護貿易の横行であったとの認識から、戦後は、アメリカのリーダーシップの下、自由貿易の仕組みが構築されてきました。ＩＭＦ・世界銀行体制の下で、ＧＡＴＴ（関税及び貿易に関する一般協定）からＷＴＯ（世界貿易機関）への流れがあります。しかし、ＷＴＯのもとでの全会一致による決定方式では、全体的な妥結が困難となる中、セカンド・ベストの策として、二国間のＦＴＡ（自由貿易協定）、あるいはＴＰＰ11のような多国間の自由貿易協定が、ジグソーパズルのように積み重ねられています。

「アジア太平洋協定」構想

アジア・太平洋地域をどのように「つなぐ」かについては、ＡＰＥＣ（アジア太平洋経済協力、Asia Pacific Economic Cooperation）という太平洋を取り囲む21の国と地域の経済協力の枠組みが有り、ＡＰＥＣをアジア・太平洋地域のネットワーク構築の出発点ととらえることができると思います。そして、ＡＰＥＣ諸国に公認された共通目標となっているものが、ＦＴＡＡＰ（アジア太平洋自由貿易圏）です。

地域の多国間の政治的な対話の場としては、ＡＲＦ（ＡＳＥＡＮ地域フォーラム）等がありますが、それらは「対話」の場としての意味合いが強いものです。制度的な枠組みの実体としての意味を持っているのは、今のところはやはり経済連携です。

現時点において、アジア・太平洋地域における経済連携の実体としては、ＴＰＰ（環太平洋パートナーシップに関する包括的及び先進的な協定）が11カ国で２０１８年に成立しました（アメリカはトランプ政権時に離脱。２０２２年にはイギリスが加入）。２０１５

年にはＡＳＥＡＮ（東南アジア諸国連合）のＡＳＥＡＮ経済共同体（ＡＥＣ）が成立し、更に、２０２０年に、ＲＣＥＰ（地域的な包括的経済連携協定）が15カ国により署名されました（インドは離脱）。

これらのＴＰＰ、ＡＳＥＡＮ、ＲＣＥＰを合わせて、アジア・太平洋地域がカバーされているかどうかを見ると、ミッシング・リンクとして抜けているのは、環日本海地域、即ち北東アジア地域です。ＴＰＰ、ＲＣＥＰ、ＡＳＥＡＮという既に出来ている経済連携ネットワークに、私の構想である「北東アジア連携」構想を実現し加える、同時に、ＴＰＰにアメリカを呼び戻すことで、経済連携ネットワークを構築する形でＦＴＡＡＰへの道筋が見えてきます。

「つなぐ」とは言うものの、現実的に考えると、アジア・太平洋地域について、ＥＵのような多国間の本格的な制度的枠組みとして「統合」を実現することは少なくとも当面は難しいかもしれません。しかし、経済連携ネットワークの構築は可能だろうと思います。そして、アジア・太平洋におけるゴールはＦＴＡＡＰです。それを、「アジア太平洋協定」につなげるのが私のヴィジョンです。そのために必要な策を一つひとつ打っていくことが、地域の平和と繁栄につながり、日本の平和と繁栄の土台となるという意味で、日本のこれからの国家戦略の柱となり得るのではないかと考えます。

ＴＰＰ・ＡＳＥＡＮ・ＲＣＥＰ

ＴＰＰは、ＷＴＯの多角的貿易自由化交渉が２００１年のドーハ・ラウンドで頓挫したことで、その次善の策として、二国間もしくは多国間の経済連携が進められたものの一つです。

アメリカは、アフガンとイラクの戦争で疲弊した経済を立て直すために、成長著しいアジア・太平洋に焦点を当て、オバマ政権の時はＴＰＰの交渉に参加しました。元々はアメリカによる構想ではなかったものの輸出を伸ばし雇用を増やすために、ＴＰＰという新たな枠組みを通じてアメリカ好みの新しい自由経済システムをつくろうとしていました。

トランプ大統領の時代にアメリカ国内の政治事情によりＴＰＰを離脱したことは、アメリカにとってマイナスであり、日本はアメリカをアジア・太平洋のネットワークに引き戻すべきでしょう。世界第1位の経済大国であるアメリカにとって、ネットワーク内にいることが自らにとってプラスであることは、いずれ理解されるでしょう。

２０２３年1月に、私は中曽根弘文参議院議員（日米議連会長）と共に、アメリカのワシントンD.C.を訪問し、何人かの上院議員及び下院議員と意見交換をしました。その際我々が会った議員の人たちは異口同音に、アメリカがＴＰＰから離脱したのは大きな間違いであり、将来は復帰すべきだと語っていました。但し、来年（２０２４年）に大統領選挙が有るので、復帰の意志決定は選挙後にならざるを得ないだろう、との見通しも示していました。私からは、中国等も加入に意欲を示しているので、アメリカとして是非復帰を前向きに考えてほしい旨を補足して述べました。アメリカの通商権限は議会に有り、政府には無いので、上院及び下院の議員の人たちと話すことが重要なのです。

ちなみに、ＴＰＰについて私は、２０１０年に菅（かん）直人総理（民主党）が提唱して日本で議論が始まって以来の推進派です。２０１３年、安倍政権によりＴＰＰの交渉参加が表明され、２０１８年には11カ国により署名されるに至りましたが、これはその前の野田政権（民主党）で私も関わって準備ができていただけに、本当は民主党政権の時にどうしてもやり遂げたかったな、というのが本音です。

農業関係者の中にはＴＰＰ反対派が多いようですが、むしろ日本の農業を自由貿易に対応できるように強く育てる発想も有り得るし、その方向で農業への支援を抜本的に強化していくべきだと考えます。

中国は、ＴＰＰからアメリカが抜けた後、ＴＰＰへの参加を本気で検討し、２０２１年9月にＴＰＰ加入を申請しました。中国への対応は注意深く行う必要があります。アメリカ人の中には、中国にＴＰＰレベルの自由化は無理だとタカをくっている人もいますが、中国にとって少し厄介なのは知的所有権についてであり、後はそれほど無理ではないかもしれません。しかし、中国に対しては、これまでの中国のやり方、例えば、進出企業に技術開示を迫ること、あるいは昨日まで存在しなかったはずの法律を突然出してくるようなこと等は、決して認められないことをはっきり前提条件として示さなければなりません。

中国のＷＴＯ加入を日本はサポートしましたが、加入後の中国の反ＷＴＯ的な勝手な振る舞いを忘れず、同じ轍を踏まないようによく注意すべきです。

台湾も同時期、２０２１年9月に加入を申請しました。

２０２０年1月にＥＵから離脱したイギリスについては、２０２３年3月に、加入交渉が実質的に妥結、7月に正式に承認されました。イギリスの加入により、ＴＰＰは「太平洋」を超える枠組みになりました。

韓国は、以前加入について検討していたようですが、まだ申請はなされていません。

ＡＳＥＡＮ（東南アジア諸国連合）は、２０１５年にＡＳＥＡＮ経済共同体（ＡＥＣ）を発足させました。また、２０２０年には15カ国（ＡＳＥＡＮ＋日中韓＋豪・ＮＺ）が参加する東アジア地域包括的経済連携（ＲＣＥＰ）が署名に至りました。

日EU・EPA

２０１１年から２０１２年まで外務副大臣として経済連携も担当していた私は、当時アメリカが中心的存在となっていたＴＰＰに加えて、日本とＥＵのＥＰＡ交渉を同時並行的に進めることによって、相互に刺激し合って全体のモメンタムが高まるだろうと戦略的に発想し、動きました。そこにはＴＰＰの向こうを張る気持ちも有りました。案外スムーズに進みかけていたのですが、日ＥＵのＥＰＡ（経済連携協定）について最大のネックであった自動車について、アメリカの自動車メーカーがヨーロッパの自動車メーカーに対し、ＴＰＰ交渉の間は少し待っていてくれというアプローチを行ったらしく、そのようになってしまいました。その後、アメリカがＴＰＰから離脱を決めたことにより、この縛りが解け、２０１８年に日ＥＵ・ＥＰＡ署名に至り、２０１９年に発効しました。

日本を起点に考える時、ＴＰＰ、ＡＳＥＡＮ、ＲＣＥＰという三つの大きな経済連携のかたまりと共に、ＥＵとの経済連携が存在することになりました。

「北東アジア連携」という山口構想

外務副大臣時代に、環日本海地域を念頭に置いた「北東アジア連携」についても、戦略的に仕掛けようと動きました。私は、ＴＰＰが「環太平洋」であるならば、「環日本海」も有っていいではないかという発想から、日本、ロシア、中国、韓国、モンゴル、そして必ずしも日本海沿いではないが、特別メンバーとしてアメリカを加えた6カ国での経済連携を構想しました。政府ベースでの議論に先立ち、まず学者によるセカンド・トラック（政府間協議ではなく民間有識者間の意見交換）の会合を企画しました。

それは、先に述べたように、アジア・太平洋を俯瞰する時、TPP、ASEAN、RCEPの組み合わせだけでは、アジア・太平洋の中で、北東アジア地域がミッシング・リンクとなってしまうので、「北東アジア連携」構想を加えることによって、FTAAPへの道筋が見えてくるからです。

2012年7月24日に、外務副大臣であった私が主催する形で、これら6カ国から学者を招待し、東京・青山の国連大学において、「北東アジア協力に関するトラック2会合」を開催しました。

この2012年の東京会議では、エネルギー協力、そして「北東アジア開発銀行」構想などの議題について、極めて有意義な意見交換を行うことができました。まずはエネルギーなどの分野で具体的なプロジェクトについての協力を具体化し、いずれ自由貿易協定などの経済連携交渉に発展させることを考え、また各種プロジェクトを進めるにあたって、その資金を賄う仕組みとして「北東アジア開発銀行」を構想したのです。

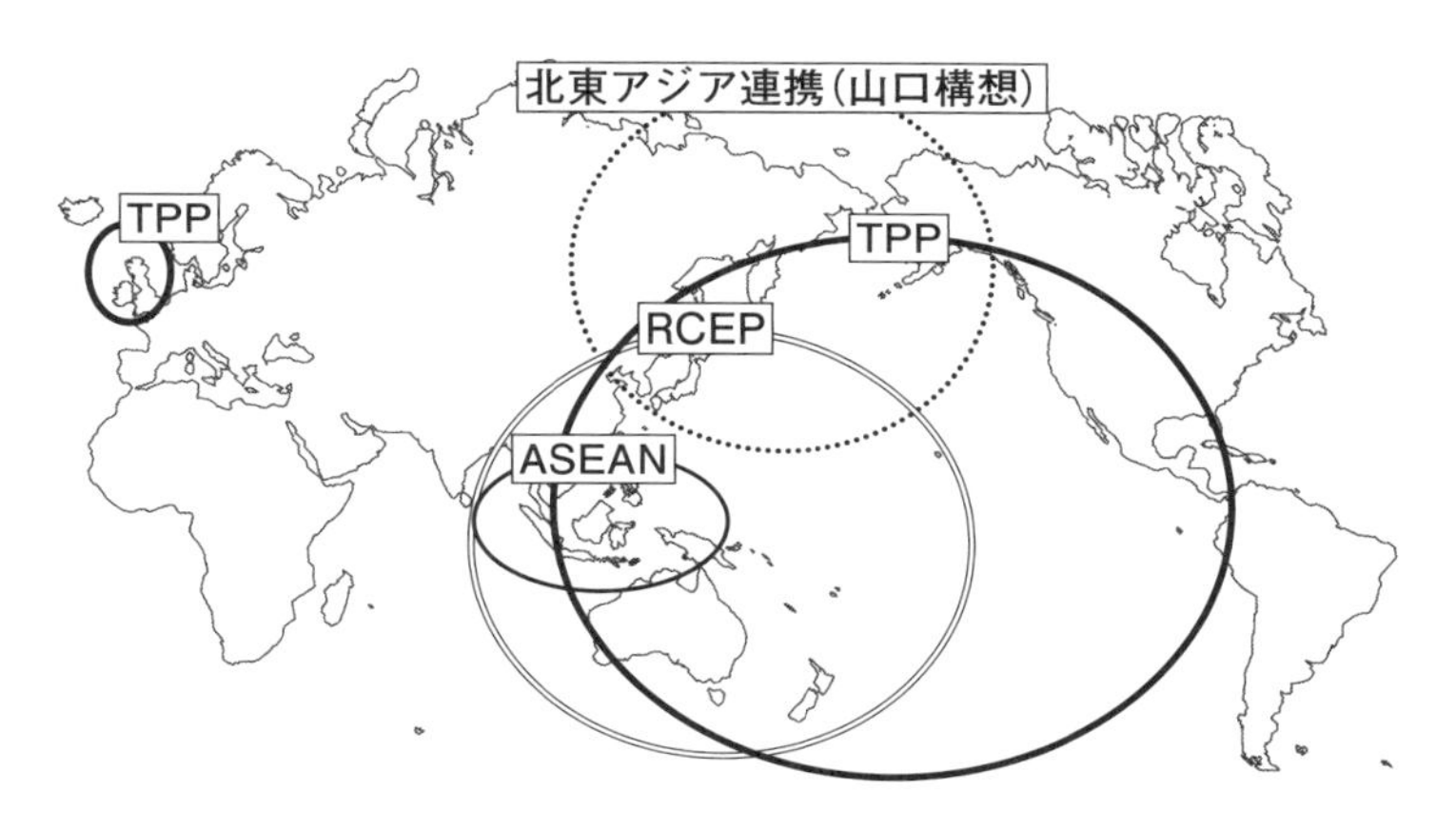

（注　図版の枠線は概観です）

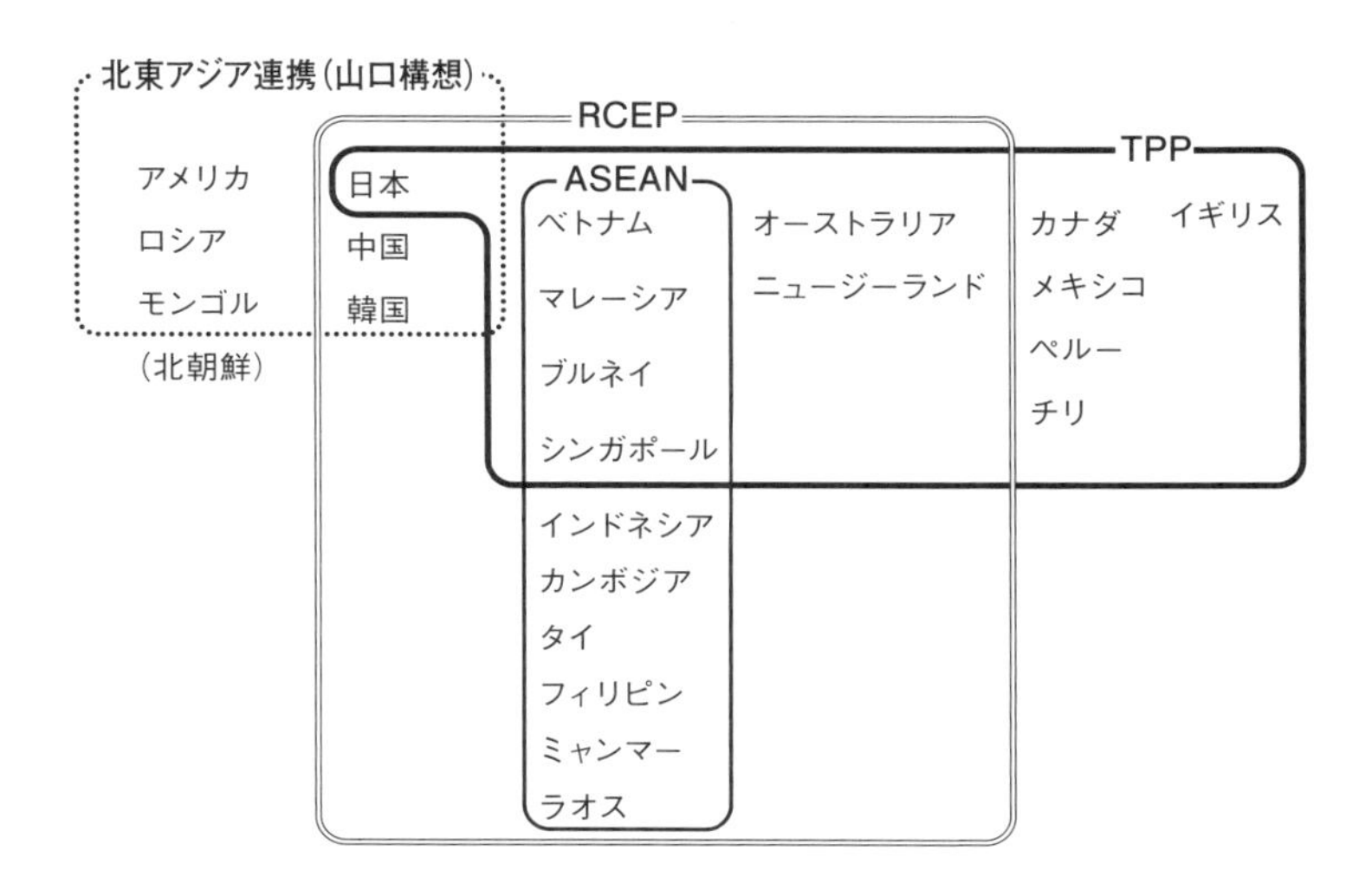

その後、中国がＡＩＩＢ（アジアインフラ投資銀行）を設立したのを見ると、私の提唱した「北東アジア開発銀行」のアイデアが先を越されたような感じもしますが、ＡＩＩＢで全てがカバーできるわけではなく、いずれ「北東アジア開発銀行」が創設されれば、互いに棲み分けができるのではないかと思います。

北東アジア（環日本海地域）における経済連携については、現在に至るまで未だに政府ベースでの交渉は行われていませんので、あの時、セカンド・トラックとはいえ、外務副大臣の主催という形でこの東京会議が開催されたことは有意義であったと思います。２０２２年以来のロシアによるウクライナ侵攻の故に、この構想を動かすことは難しくなっていますが、将来は必ず重要な戦略課題になると思いますし、その時にこの東京会議の意義があらためて振り返られるだろうと思います。

北東アジア連携の構想には、いくつかの点で大きな意義があります。

第一に、先に述べたようにＴＰＰ、ＡＳＥＡＮ、ＲＣＥＰの組み合わせだけでは、アジア・太平洋の中で、北東アジア地域についての連携がミッシング・リンクとなってしまっています。特に、ロシア、モンゴル、そして将来的な課題として北朝鮮についてです。北東アジア連携がそれを補う形になります。

ロシアはＡＰＥＣのメンバーではありますが、ＡＰＥＣは経済連携の枠組みと呼べるものではなく、議論の場に留まっています。また、ロシアはＡＤＢ（アジア開発銀行）に入れていませんので、北東アジア連携の枠組みが整備され、「北東アジア開発銀行」が創設されれば、そこに入れるのではないかと期待していると思います。なお、ロシアはＡＩＩＢのオリジナル・メンバーとして参加しています。

モンゴルの場合は、ＴＰＰ、ＲＣＥＰどちらにも参加していないのみならず、ＡＰＥＣのメンバーでもありませんので、それを北東アジア連携でカバーすることは大きな意義があると考えます（但し、日本とモンゴルとの二国間ＥＰＡの協定は２０１６年に発効しています）。

北朝鮮については、日本としては拉致、核、ミサイルの問題の解決が不可欠ですが、将来的に条件が整えば、北東アジア連携の枠組みでアプローチすることも、国家戦略的発想としては有り得ると思います。

第二に、北東アジア連携が実現できれば、それに、既に成立しているＴＰＰ（将来的にアメリカも呼び戻したい）、ＡＳＥＡＮ、ＲＣＥＰとを統合することにより、アジア・太平洋地域をカバーするネットワーク連携を築くことができ、この連携をアジア・太平洋地域における平和と繁栄の基盤にするという構想も有り得ます。

第三に、北極海を通る北回り航路が将来的に可能となり、その通行路となる環日本海地域が、今後その地政学的重要性を飛躍的に増すことが予想され、北東アジア連携構想は、その地域をカバーする枠組みとして重要な意味を持つようになり得ます。

北極海の氷が地球温暖化の影響で溶け始めているので、砕氷能力を持った船であれば、既に北回り航路が可能になっています。日本からヨーロッパに向かう場合、南回り航路でスエズ運河を経由すると29日かかりますが、北極海航路を利用すると19日で行くことができ、圧倒的な日数の短縮が可能になります。また、北極海航路には海賊やテロのリスクも有りません。

第四に、北東アジア連携を進める中での具体的プロジェクトの進展が、将来的に北朝鮮問題の解決に寄与する可能性も有り得るでしょう。連携構想に当初から北朝鮮を含むことはできませんが、北朝鮮抜きにとりあえず北東アジア地域における個々の具体的なプロジェクトを進展させていくとして、それらプロジェクトが魅力的なものであればあるほど、そこへの北朝鮮の参加意欲が掻き立てられることも有り得ると思います。参加に当たっては、拉致、核、ミサイルについての解決が不可欠であるとの共通認識が大前提です。北朝鮮は地政学的に朝鮮半島をブロックする極めて重要な位置に存するので、北東アジア連携構想を誘因として、北朝鮮が安全保障上の脅威でなくなるように導くことの戦略的意義は大きいと思います。

２０１８年6月以来、私は独自の勉強会として、「北東アジア連携研究会」を月に一回のペースで約20回開催しました。学界、財界、ジャーナリズム、官界等から親しい専門家の方々に参加頂き、北朝鮮問題の解決の方途も念頭に置きながら、環日本海地域についてどのような枠組み（連携）が有り得るかについて意見交換を行いました。研究会において、次のようないくつかの具体的なプロジェクトについても議論しました。

①ＧＴＩ（Greater Tumen Initiative　大図們（だいともん）イニシアチブ）への参加

ＧＴＩは、ＵＮＤＰ（国連開発計画）が１９９１年に発表した、ロシア、中国、北朝鮮の国境地帯の開発計画です。ＧＴＩには既に中国、モンゴル、韓国、ロシアが参画し、運輸、貿易投資、観光、エネルギー、農業、環境を優先分野として協議中です。これは北東アジア全体のコネクティビティ連携強化を目指しています。

ＵＮＤＰの関わるＧＴＩは注目すべきプロジェクトではあるのですが、日本は参加を見合わせています。当初北朝鮮が参加していたからです。その後、北朝鮮は脱退したので、北東アジア連携を考えるための一つのアプローチとして、日本も参加の検討の余地が有るかもしれないと思っていましたが、２０２２年2月にロシアがウクライナに侵攻し、現時点（２０２３年10月）ではまだそれが続いていることを踏まえると、国としては残念ながら参加は困難との判断に傾きます。

なお、図們江プロジェクトについては、中国東北部の地方政府と、地理的に近いロシアや北朝鮮、韓国の地方レベルとの間で経済協力が進められている中に、日本の地方政府（新潟県、鳥取県）も一部参加していた実績が有ります。領土や歴史など、複雑な感情的問題が残る北東アジアでは、国レベルよりも地方自治体レベルの方が動きやすいのかもしれません。

②金融協力（「北東アジア開発銀行」構想）

北東アジア域内のプロジェクトを十分にサポートできるようにするための金融の枠組みとして、「北東アジア開発銀行」構想があります。現時点でロシアによるウクライナ侵攻が続いており、議論を進めることが難しくなっていることが残念です。先に述べた２０１２年に東京で開催された「北東アジア経済連携フォーラム」の際、ロシアはこの構想に大変乗り気な様子を見せました。ロシアはＡＤＢ（アジア開発銀行）のメンバーではないので融資を受けられないから、この北東アジア地域をカバーする銀行設立について、前向きに受け取ったのだと思います。今の時点では無理ですが、将来的に、ロシアのウクライナ侵攻が終結した後、ロシアをアジア・太平洋の平和の枠組みに組み込むための一つの誘引となり得るかもしれません。

③運輸協力

北極海航路が可能になっていることにより、将来、北東アジア連携として運輸協力の重要性も非常に大きくなるだろうと予測されます。日本としては、日本海側の港の重要性が増すであろうことを念頭に、日本海側の港湾への重点投資を行い、日本に「戦略的物流ハブ港」を立ち上げ、日本海側地域の発展を期するという構想も有り得るのではないでしょうか。

④農業協力

寒冷地域での野菜栽培等の食料増産に関する農業協力は、我が国に期待されるところ大でしょう。

⑤保健・医療・感染症などの対策についての協力

新型コロナウイルスへの対応の経験も踏まえて、感染症対策についての北東アジア協力の枠組みつくりを模索すべきだと思います。それ以外にも、保健、環境等の分野において、日本のノウハウを活かした協力があり得るでしょう。

最近の米中覇権闘争の状況下では、北東アジア連携構想の実現は決して容易ではなく、ロシアのウクライナ侵攻の間は特に難しいでしょうが、ウクライナ戦争が解決した暁に、北東アジア連携構想を実現しようとする試みは、アジア・太平洋地域の連携ネットワーク構築における最後のミッシング・リンクを埋めるものとなり、アジア・太平洋地域の平和と繁栄の創造に貢献するものとなるでしょう。

北朝鮮問題の解決に向けて

北東アジア連携構想との関連では、北朝鮮問題をどう解決するかについても思考を巡らせることが国家戦略として不可欠です。

我が国と北朝鮮との話し合いについては、2014年5月に、日朝政府間協議がストックホルムで開催され、「ストックホルム合意」として拉致問題に関する「再調査」の合意に至り、その後、2014年7月、9月、10月と協議・会合を重ねましたが、2016年1月に北朝鮮による核実験が行われたことに対し、日本が制裁を実施したことを受け、2016年2月には北朝鮮において調査委員会が解体されてしまいました。それ以後、北朝鮮との対話は止まったままです。

米朝間において、トランプ大統領の時代に金正恩総書記と対話しようとの気運の高まりに伴い、日朝間においても何らかの対話の進展が見られるかと若干期待が膨らみましたが、結局、米朝間で何も実質的な進展は見られず、日朝間でも何も進みませんでした。

私が2023年1月にワシントンD.C.を訪問し、北朝鮮について上下両院の議員、国務省及び有識者と意見交換を行った際の議論も踏まえると、北朝鮮との話し合いをこの先どう進めるかについては、最大のポイントはもちろんどのように北朝鮮を核放棄の合意に持って行けるかですが、その際の手掛かりは、「体制保証」と「経済協力」です。

例えば、韓国は、北朝鮮が先ず核放棄をすべきであり、経済協力と関係正常化の話はその後だと主張しますが、北朝鮮としては、先ず「体制保証」がなければ核放棄はできないというところでしょう。そもそも北朝鮮が核を開発したのは体制保証のためと考えられますから、体制保証と引き換えにならば、北朝鮮は核放棄ができるのではないかとのロジックが成り立ち得ます。

この文脈で私が注目しているのは、2016年7月6日の北朝鮮「政府」スポークスマン声明です。その声明には、「朝鮮半島の非核化は、偉大な領袖と父なる将軍の遺訓であり、敬愛する金正恩同志の領導に従って進むわが党と軍隊、人民の揺るぎない意志である」とのくだりが有ります。在韓米軍の撤退等を条件としてではありますが、「朝鮮半島の非核化」に言及しており、条件が整えば、北朝鮮として核放棄が有り得ることを示していると解釈し得るのではないでしょうか。

もちろん、日本としては、北朝鮮問題においては拉致問題をどうしても解決しなければなりません。しかし拉致問題を解決するためには、逆説的ではあるのですが、拉致問題だけ解決しようとしても物事が進んでいないように思います。そうではなく、全体を一括りにしたアプローチが必要であると思われます。日本の公式の立場である、拉致、核、ミサイル問題の解決のためには、北朝鮮側の関心は「体制保証」と「経済協力」であることを念頭に、これら全てを一括して同時にテーブルに載せて対話を進め、２００２年の日朝平壌宣言で言及されている国交正常化交渉の「合意」前には、最終的に全てが解決されている、というイメージが必要だと思います。

拉致被害者の家族会と救う会が２０２３年2月に打ち出した新方針では、「全拉致被害者の即時一括帰国が親世代の存命中に実現することを条件に、日本政府が北朝鮮に対して人道支援を行うことに反対しない」とされており、この辺の状況を的確に踏まえつつ、日朝首脳会談の早期実現を求めるものであると思います。

岸田文雄総理は２０２３年5月に、日本人拉致問題の解決に向けて、金正恩総書記との首脳会談を早期に実現するための「ハイレベル協議」を北朝鮮側に呼びかけましたが、北朝鮮側は、外務次官の談話において、拉致問題は「解決した」との従来の主張を繰り返すのみで、協議の具体的な枠組みや日程などは明らかになっていません。

事態を前に進めるために、また、コミュニケーション・ギャップを極力防止し、不測の事態を避けるためにという趣旨で、現在の北朝鮮による多数のミサイル発射がおさまった後にという条件付きではありますが、北朝鮮への連絡事務所設置を検討することも戦略的に有り得るのではないでしょうか。

ちなみに、北朝鮮と国交がある国・地域は158あり、その内、英国、スウェーデン、ドイツ、ポーランド、ロシア、インド、インドネシア、中国、パキスタン、ベトナム、モンゴル、ブラジル、ベネズエラ、イラン、エジプト、ナイジェリアなどは北朝鮮に大使館が有ります。

国交を結んでいないのは、我が国以外には、アメリカ、韓国、台湾、フランス、モナコ、イスラエルなどで、数ではむしろ少数派です。

信頼醸成措置のネットワーク構築

以上は経済連携を念頭に、アジア・太平洋を「つなぐ」枠組みつくりにより、自ら世界秩序をつくっていかんとする国家戦略について述べましたが、「つなぐ」観点からは更に、経済連携を超えて、安全保障に関する枠組みも模索すべきと考えます。

現在、アジアにおける安全保障の協議の枠組みとしては、先に触れたＡＳＥＡＮ地域フォーラム（ＡＲＦ）があります。ＡＲＦは、アジア・太平洋地域の安全保障問題に関する対話と協力の枠組みであり、27の国と地域が参加し、信頼醸成措置や予防外交などを推進しています。信頼醸成措置とは、例えば隣国が戦車を動かして演習をする場合に、それを軍事侵攻と勘違いして偶発的な軍事衝突に至ってしまわないように、お互いに軍事活動の透明化をはかる等の措置を指します。国家間の相互不信を減らし、信頼関係を構築することによって軍事衝突を未然に防止することを目的としたものです。軍事演習の通告、演習視察員の交換、兵力移動の自発的な通報などがあります。ＡＲＦの協議の場を経て、信頼醸成措置のネットワーク構築を実現することも、アジア・太平洋地域における安全保障の枠組みつくりとして重要です。日本はこの分野においても率先して貢献していくべきです。但し、信頼醸成措置自体は危機や紛争が生じた時に対応できる枠組みではないので、「平和戦略」としては、他の安全保障の仕組みも構築していかねばなりません。

民主化支援

また、「平和戦略」の第一歩として経済連携のネットワークを構築し、諸国をつないでいくとしても、平和をつくるためには、更に、「民主主義どうしでは戦争は起こらない」との観点からの施策が必要であり、「つなぐ」ことに加えて、より多くの国が民主主義の仕組みを取り入れるよう促すための「民主化支援」も今後の日本の国家戦略として重要な検討項目だと思います。但し、アメリカ流の、「アメリカン・シーザー」的な民主化のやり方ではなく、日本流で、政府開発援助（ＯＤＡ）を通じて、法制度の整備を支援したり、経済制度の整備を支援したり、ガバナンス（不正腐敗対策など）を支援したり等から始めればよいと思います。具体的には、一例としてインドネシアに対して、選挙監視団の派遣などを通じて、民主的な選挙が実施されるよう支援をしている事例が有ります。

国連安保理改革についての山口私案

以上が、「つなぐ」平和戦略ですが、日本は更なる平和戦略の一つとして、国連の安保理改革に取り組むべきです。

２０２２年２月以来のロシアによるウクライナ侵攻は、国連の安全保障理事会が５大国の関わる紛争について機能不全であることを象徴的に明らかにしてしまいました。

国連は、いわゆる５大国の拒否権の存在ゆえに、憲章が規定している安全保障の機能が当初から十分に果たせていません。憲章に定める国連による集団安全保障措置、特に強制措置の実施のためには、安全保障理事会による決定が必要ですが、５大国が拒否権を有しているため、強制措置は実施されたことがありません。拒否権の行使にブレーキをかけよう、あるいは拒否権の問題を迂回しようとの趣旨で、最近は総会の活用等の案も議論されていますが、総会には強制措置を実施する権限が与えられておらず、安全保障理事会の代替はできません。

国連の安全保障理事会の機能不全を解消することが、国連の安保理改革のポイントです。日本は、そのための取り組みを強化すべきであると思い、私は既に行動を開始しています。山口私案とも呼ぶべき私の案は、5大国のうちの1カ国が拒否権を行使したとしても、(安全保障理事会)15カ国のうち14カ国の、言わば「超絶対多数」が得られれば、安全保障理事会が決定することができるというふうに、国連憲章を改正してはどうか、というものであり、既に国際会議等で実際に繰り返し提案をしています。例えば、昨年(2022年)10月の「アジア・太平洋国会議員フォーラム」においても、日本提案としてはっきり打ち出しました。ロシア、中国からの猛烈な反対論にあいますが、それは想定の範囲内であり、千里の道も一歩からとの気持ちで忍耐強く発信を始めています。

2023年1月に中曽根弘文参議院議員等と共にワシントンD.C.を訪問し、国務省においてシャーマン国務副長官(当時)と意見交換した際にも、私の案を披露した次第です。アメリカ側からは、「バイデン大統領も、ブリンケン国務長官も、国連が機能するよう種々アイデアを検討中であり、山口さんの案も検討しましょう」との応答でした。

アジア・太平洋において「不戦のメカニズム」を

ヨーロッパにおいては、ドイツとフランスは数百年にわたる戦争の歴史を超えて、今や両国が戦争をすることは考えられないところまでヨーロッパの不戦のメカニズムはできています。ＥＵ（欧州連合）、ＯＳＣＥ（欧州安全保障協力機構）、ＮＡＴＯ（北大西洋条約機構）等の仕組みがヨーロッパの不戦のメカニズムの中核です。しかし初めは誰も可能だとは思わなかったようです。

アジア・太平洋地域において「不戦のメカニズム」をつくるというのは、更に大きなチャレンジです。アジア・太平洋地域はヨーロッパと事情も異なるので、同じ仕組みをつくるわけにはいきませんし、ヨーロッパも完全ではありませんが、イメージとしては、ヨーロッパの有り様が参考になるのではないでしょうか。

その過程においては、今は夢物語のように聞こえるかもしれませんが、日本と中国が共に王道に立脚していつの日か日中間で「不戦の誓い」を共有するというのも、私の願いの一つです。

総じて、これから日本は自ら世界秩序をつくるという位の気概を持って国家戦略を構想し実現していくことが重要だと思います。それが反転攻勢の世界戦略の心であり、それがあってこそ世界が日本を見る眼も変わり、例えば今の円安も是正されるのでしょう。不可能を可能に変える気概で、取り組んでいきます。

あとがき――「我、太平洋の架け橋とならん」

私の原点は、地元の兵庫県相生市にある相生小学校です。担任の先生が、ある時、「この相生港の海は世界の七つの海に通じている」と言われた言葉が少年の私の心を大きく揺さぶったことを覚えています。いつの日か、世界に打って出たいという夢を抱き始めました。その先生が、地元相生港にある石川島播磨重工業の造船所を指しながら、（当時）日本の造船は世界一だと教えてくれたことも、日本は世界をリードできるのだという想いとともに、私の心に火をつけました。

私にとってアメリカは特別な国です。14歳の時に神戸ＹＭＣＡのプログラムでアメリカのシアトルＹＭＣＡの中高生キャンプに参加するため初めて渡米した時に、異文化が交わり心が一つになる時の大きな感動を経験しました。多感な少年時代に受けたその感動が、小学校時代からの私の想いと共に、その後の私の人生を導き、外交官へと、そして政治家へと道を歩ませてきました。外交官試験は3度目の挑戦で何とかクリアし、ようやく外務省に入省後、留学研修先はアメリカとなりました。外務省のいわゆる「アメリカン・スクール」の一員となったわけで、アメリカが大好きな私としては、本当に嬉しく、青雲の志に燃えました。外務省からの留学先は、首都ワシントンD.C.にあるSAISというジョンズ・ホプキンス大学の国際関係論の大学院でした。せっかく世界の中心とも言えるワシントンD.C.に来たのだからと、本当によく学ぶと共に、しばしば自宅でパーティーを開き、多くの友人もつくりました。

ちなみに、私の博士号はSAISのナサニエル・セイヤー教授（2020年没）から頂いたものです。SAISには当初1年間の修士コースでの留学予定でしたが、セイヤー先生に次の学校について相談したところ、是非SAISに残ってセイヤー先生の指導の下、博士号を取ってはどうかと、思いもかけない提案を頂き、先生には、多忙な本省で仕事しながらでは無理ではないかと思うと申し上げましたが、セイヤー先生自身も国務省に勤務しながらコロンビア大学から博士号を取ったのだから大丈夫と励まされ、柄にもなく挑戦することになった次第です。

2年間のワシントンD．C．での留学の後、帰朝を命じられ東京での本省勤務となりました。本省勤務は激務を極め、海外との時差、国会対応等で、毎日、夜中の2時3時の帰宅、徹夜勤務もしばしばの中で、博士論文の執筆作業を、2時に帰宅したら3時まで、3時に帰宅したら3時半まで、こつこつ続けました。今から思えばよく続いたものだと思いますが、とことんやって、7年かけて何とか書き上げ、博士号を頂きました。

テーマは、セイヤー先生からの提案で、吉田茂を選びました。当初は迂闊にも、何故そんな過去の人物のことを？　と若干不思議に思いましたが、調査を重ね執筆作業を続ける中で、吉田茂こそが戦後日本の国家戦略の根本を日米安保条約という形で「吉田路線」としてつくり上げたアーキテクトだということに気付くに至りました。それが今の私の視点の根幹を成しているわけで、セイヤー先生にはいくら感謝しても感謝しきれません。

そして今、私の長女は素晴らしいアメリカ人の青年と結婚してアメリカに住み、日米合作!?　とも言うべき元気な女の子たち（私にとっては孫娘たち）にも恵まれています。

これら全てを含めて、私はアメリカが大好きであり、最も親近感を抱いています。個人的な万感の想いも込めて、これからも、日本の国家戦略にとって最も大事なことは、アメリカと「組む」ことだと固く信じています。イアン・ブレマー等の国際政治学者たちが「パックス・アメリカーナ」の終焉あるいはアメリカの相対的な力の低下を指摘する今日ですが、日本が「役割分担」も行い、時にアメリカを支えていくことにより、共に世界の平和と繁栄をつくり上げるビジョンを大事にしたいと考えています。

留学先がジョンズ・ホプキンス大学という縁で、私は新渡戸稲造に強い親しみを感じています。新渡戸稲造は、ジョンズ・ホプキンス大学への日本人留学生の第一号であり、「我、太平洋の架け橋とならん」という言葉を残しています。初めてこの言葉に触れた時には本当に魂を揺り動かされました。外交官という仕事を選んでいたということもあり、自分の一生はこのために捧げようと心に刻み込んだ次第です。

私は、「我、太平洋の架け橋とならん」という言葉から、強い自立的な意志も感じ取ります。吉田路線はある意味で対米依存の戦略ですが、「パックス・アメリカーナ」の終焉が言われる現在の文脈においては、日本は自国の安全保障について、もっと自分で責任を持つこと、場合によっては世界の平和と繁栄をつくることにより、自らの平和と繁栄を創るとの発想が促されていると思います。その点で、「我、太平洋の架け橋とならん」という言葉は、大きなインスピレーションを与えてくれます。日本が自らの意志で太平洋の架け橋となり、太平洋全体をネットワークで「つなぐ」ことにより、平和と繁栄をつくるビジョンが浮かび上がります。

即ち、今や日本とアメリカは、政治、経済、社会、文化等々万般に渡って互いに緊密につながり、お互いの間に戦争など全く考えられなくなったことを踏まえて、私は、日米のみならず太平洋全体を視野において、太平洋の架け橋とならんとの志で、アジア・太平洋全体をネットワークで「つなぐ」ことによって、「太平洋（Pacific Ocean）」を文字通り「平和の（pacific）海（ocean）」とする働きに、自らを捧げたいと強く願っています。

更にTPP、ASEAN、RCEP、及び私の構想である「北東アジア連携」のネットワークをつないで、「切っても切れない縁」を張り巡らせていくとともに、民主主義どうしでは戦争は起こらないことを念頭に、民主化支援を行うというアプローチは、日本のみならず世界全体の平和と繁栄の実現につながっていく大戦略たり得るだろうと思います。それがこれからの日本の重要な戦略目標となり得るはずです。その実現は決して簡単ではないかもしれませんが、違いを受け容れることで進化してきた日本ならではの役割であり、それこそが日本の使命たるべしと感じています。

私は本書では、インド・太平洋という語を使わず、敢えて「アジア・太平洋」という語を使用しています。インド・太平洋と言っても、遥か彼方のソマリアやマダガスカル島など、インド洋全域を含むわけではないためです。日本の今後の国家戦略が「太平洋の架け橋」となることを目指すのであれば、インドやパキスタンを含めても、「アジア・太平洋」という語の方が、その意図がより明確に伝わると思うのです。

米中対立が激しさを増す戦略環境の中で、私が描く日本の国家像は、リアリズムに立脚しつつ、反転攻勢を合言葉に、欧米など世界の資本も活用しながらイノベーション投資を加速させて民主主義の基盤を強化するとともに、自ら世界秩序をつくる位の気概を持って、アジア・太平洋のネットワーク構築と民主化推進により平和と繁栄をつくっていこうというものです。

国防という文脈では、私は1984年夏から2年間、外務省から当時の「防衛庁」へ出向しました。出向先は防衛局運用課というところで、「部員」（参謀本部員の名残り）として航空自衛隊の運用の担当でした。

一番大変だったのは、１９８３年に起きた大韓航空機撃墜事件の後始末でした。１９８５年の通常国会の予算委員会の冒頭から、大韓航空機撃墜事件について、日本政府に過失はなかったのか？　の観点で、遺族の方々の意向を受けた野党の重鎮議員が、おそらく自衛隊ＯＢのサポートも得ながら、徹底的に防衛庁を責めてきました。特に大韓航空機撃墜事件のレーダー航跡についてでした。国会答弁の対応も大変でしたが、質問主意書も異常に多く出されるなど、本当に地獄のようでした。そもそもレーダー・システムの仕組みについても全く素人の状態から始まったため、どうなることかと思いましたが、約半年の格闘の後、レーダー・システムについても専門的知識を蓄積し、何とか乗り切ることができました。

区切りのついた頃、防衛局長室に呼ばれたので行ったところ、「扉を閉めろ」と言われます。そして局長は私をじっと見ながら、「大変な中、よく乗り切ってくれた。一つ間違えれば防衛庁は解体させられていたかもしれない。まさに防衛庁存亡の危機だった。よく守ってくれた。このとおり、礼を言う。ありがとう」と言われました。いつも叱られてばかりいた私としては、予想もしてなかった局長の優しい言葉に少々驚きましたが、もちろん嬉しかったですし、少し目頭が熱くなりました。局長が何を念頭に置いて「防衛庁は解体させられていたかもしれない」と言っておられたのかは察しましたが、お互いそれは口にしませんでした。私は少々報われた気持ちになって、「過分のお言葉、恐縮です。局長、お疲れ様でした」と言って局長室を退出しました。あれから約40年、防衛庁は六本木から市ヶ谷に移り、「防衛省」に格上げとなって、その庁舎は立派にそびえ立っています。

戦場経験こそ無いものの、耳学問や机上の空論にとどまらず、当時の防衛庁に「部員」として出向したことで防衛の現場も経験させてもらい、国防の「土地勘」を身に付けさせて頂きました。防衛庁出向の2年間がご縁で、陸海空及び内局に多くの友人を得ることができ、今でも、そのつながりを大事にしています。

本格的な在外勤務は、1989年の天安門事件直後の在中国大使館勤務からです。在中国大使館では経済部の所属で、経済部は中国への政府開発援助（ODA）も所管していたことから、無償資金協力では環境分野における援助、東北医科大学等の医療分野における協力等々に携わりました。また、当時は鄧小平の改革開放政策が花盛りの頃で、その動向について報告電報を書いたりもしていました。

ちなみに、私が北京の大使館に勤務していた際の運転手さんは、以前にラスト・エンペラー溥儀や、後にアメリカ大統領になるブッシュ氏の中国での特命全権公使時代に運転手をしていたそうで、ブッシュ氏との記念のツーショットも見せてくれました。中国勤務でのストーリーには事欠きません。

中国の次の赴任地パキスタンでの大使館勤務は、イスラム圏での生活ということで、共産圏の中国とは異なる意味での窮屈さはありましたが、当時のムジャヒディンと呼ばれる人たちとの接触、あるいはカイバル峠を越えて隣のアフガニスタンまで国連の地雷除去プロジェクトの視察に行ったりしたこと等も含めて、今となっては、これからの世界がイスラム勢力とどのように向き合っていくのかを考えるに際して、大事な土地勘となっています。

中国、パキスタンでの大使館勤務に続いて、イギリスのロンドンでの大使館勤務となりました。そこで、予想もしなかった人生の転機を迎えます。仕事の一環として、日本の有力な政治家の方がロンドンで滞在される間アテンドすることになり、それがご縁で政治家への転身となりました。今から思えば、当選するかどうかも分からない（現に初めの総選挙では落選）のに、せっかく苦労して入った外務省を辞めるという随分無茶な決断をしたものだと思います。妻の牧子が信じてついてきてくれていることにあらためて心から感謝です。

政治家への途を志す決意を固め、イギリス勤務を終えて離任する際、フィナンシャル・タイムズの敏腕ジャーナリストとしてならしたジョージ・ブルさんが貴重な言葉を贈ってくれました。「政治は最も高貴な仕事である（Politics is the noblest job.）」という言葉です。これは、私が、最も大事にしている言葉の一つです。イギリス人らしい少しひねった表現で、政治の世界はだましだまされという醜い権力闘争もあったりするだろうが、人々の幸せを願って仕事をさせてもらえるという意味で高貴な仕事だ、という趣旨だと解しています。その気持ちを忘れないように、ということでブルさんが「はなむけ」に贈ってくれたのでしょう。私はこれまで、この言葉どおりの気持ちで政治の仕事に携わってきましたし、これからもずっとそうです。そして、未来は変えられるとの信念を持ち、希望に満ちた未来を人々のためにつくりたい、それが私の願いです。

本書における安全保障条約についての吉田茂を巡る種々の考察は、私がアメリカのジョンズ・ホプキンス大学の大学院（ＳＡＩＳ）での恩師ナサニエル・セイヤー教授に提出した博士論文を基に執筆しました。先に述べたとおり私の博士号はセイヤー先生から頂いたものです。セイヤー先生は、若き日にライシャワー大使の下で東京のアメリカ大使館で報道担当の仕事をしていた際に、若き中曽根康弘衆議院議員と夜な夜な赤坂で飲み明かしていたということです。中曽根康弘さんが総理になられた時、アメリカのレーガン大統領との間で「ロン・ヤス」の関係を演出し振り付けたのはセイヤー先生でした。

セイヤー先生は私が衆議院議員選挙を目指して活動を始めた頃、ワシントンD.C.から自費で遠い兵庫12区までわざわざ足を運んで、集会の場で、私がアメリカと格別のコネクションを持っていることを選挙区の方々にお話ししてくださったことを思い出します。セイヤー先生の深い愛情を思うと、涙が出てきます。セイヤー先生の不肖の弟子として、日米の、そして太平洋の架け橋となるよう益々精進してまいる決意です。

政治の世界での恩師は、二階俊博先生です。外務省を辞めて新進党から立候補し衆議院議員総選挙を戦う際に先輩として様々なアドバイスも頂きました。そして二階先生の導きで、現在自民党に所属し、二階派でお世話になっています。「世界津波の日」の国連での制定、「部落差別解消推進法」の制定等々、一緒に実現させせて頂きました。深い導きを頂いていますことに衷心より感謝です。

さて最後に、最も大切なこととして、以上に述べさせて頂いたような様々な活動が政治家としてできるのは、私がお世話にならせて頂いている地元の後援会の皆さまの熱い心の支えが有ってのことであり、また、兵庫12区の多くの有権者の方々のご支持を頂いているお陰です。後援会の皆さまの貴重なお支えが有ってこそ、山あり谷ありの苦難を共に乗り越え、多くの奇跡を起こしてここまで辿り着かせて頂くことができましたことに、あらためて深く思いを致し、心から感謝を申し上げます。

本書を、これまで共に頑張り奇跡を起こして頂いた後援会のお一人おひとりの皆さまに、心からの感謝を込めて捧げたいと思います。

令和5年10月

衆議院議員　国際政治学博士　山口　壮

山口壯（やまぐち　つよし）プロフィール

東京大学法学部卒業後、1979年外務省入省。本省勤務に加え、防衛庁（当時）出向。外交官として、在アメリカ、在中国、在パキスタン、在イギリス大使館に勤務。ジョンズ・ホプキンス大学SAISにて博士号取得（国際政治学博士）。1995年外務省退官。翌年兵庫12区より衆議院議員総選挙へ立候補。2000年初当選。外務副大臣、内閣府副大臣（国家戦略・地域主権・地域活性化・復興担当）、環境大臣、内閣府特命担当大臣（原子力防災）を歴任。

日本の新戦略
反転攻勢のグランド・ストラテジー

2023年10月31日　第1刷

著者
山口壯

発行者
小宮英行

発行所
株式会社徳間書店
〒141-8202 東京都品川区上大崎3-1-1 目黒セントラルスクエア
電話／編集 03（5403）4350 販売 049（293）5521
振替　00140-0-44392

印刷・製本
中央精版印刷株式会社

ISBN 978-4-19-865685-0